KB064304

새롭게 바뀐 국어 교과서(읽기, 쓰기, 듣기·말하기)에 따라 바르고 예쁜 글씨 쓰기
한수우
바른글씨
뽐내기

초등 2·1

중앙입시교육연구원

흔히 글씨를 보면 그 사람을 알 수 있다고 할 정도로 우리 조상은 글씨 쓰기를 중요하게 생각하였습니다. 아무리 워드 프로세서와 같은 장치가 일반화되어 있다고 하더라도 글씨를 바르게 쓰도록 하는 것은 학교 교육에서 지속적으로 강조되어 왔습니다.

글씨 쓰기는 일종의 기능이기 때문에 한번 굳어 버리면 고치기가 어려운 특성이 있습니다. 그러므로 초등학교에 들어온 학생들이 잘못된 습관을 가지고 있으면 바로 잡아 주어야 합니다.

이 교재는 초등학교 저학년이 우리말을 바르고 예쁘게 쓰는 '바른 글씨 쓰기'를 목표로 하였습니다. 새롭게 바뀐 국어 교과서(읽기, 쓰기, 듣기 · 말하기)의 지문을 활용하여 체계적으로 한글을 익히도록 구성하였고, 국어 문법 · 맞춤법 학습도 함께 다루었습니다.

이들 학습 순서는 어느 정도 순차적인 성격이 있기는 하지만, 성격상 반복 순환하는 것이 바람직하기 때문에 교과서(읽기, 쓰기, 듣기 · 말하기)의 순서대로 구성하지는 않았습니다.

이 교재의 큰 특징은 따라 쓰기 쉬운 손글씨체를 사용하여 바른 글씨체를 익히도록 한 것입니다. 지루한 글씨 쓰기가 되지 않도록 다양한 내용과 생생한 삽화를 활용하여 재미있게 구성하였고, 가능하면 충분한 글씨 쓰기 연습이 이루어지도록 하였습니다.

또한 받아쓰기 공부를 체계적으로 할 수 있도록 교과서 지문을 단원별로 발췌하여 별도의 받아쓰기 단계표를 제시하였습니다.

학교나 가정에서는 단순한 글씨 쓰기가 아닌 학교 공부와 함께 하는 즐거운 글씨 쓰기가 되도록 지도 및 활용 부탁드립니다.

지은이 씀

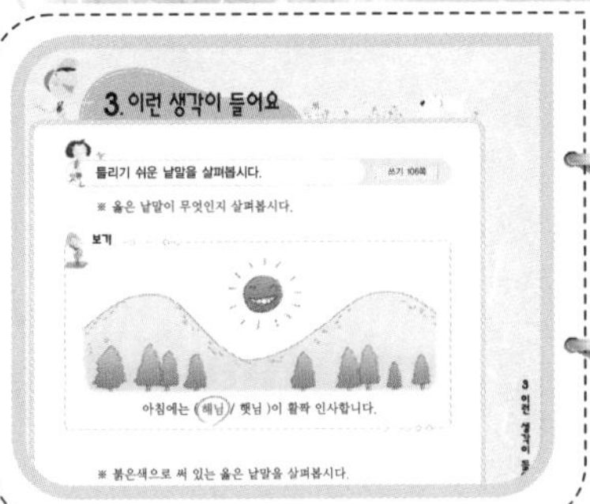

단원의 시작

학습을 시작하기 전, 그림을 보고 공부할 단원의 학습 목표를 미리 생각하고 살펴볼 수 있게 하였습니다.

글씨 바르게 쓰기

교과서의 내용을 중심으로 글자 모양 · 위치를 고려하여 쓰기, 글자의 간격을 고려하여 쓰기, 개별 낱자에서 음절, 단어, 문장 등의 모범적인 글씨를 제시하여 바르게 충분히 연습하여 쓰도록 하였습니다.

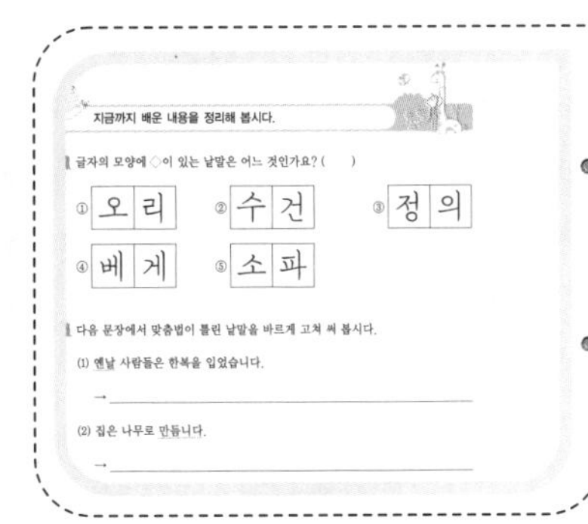

정리하기 및 쉬는 시간

한 단원을 마치고 난 후, 공부한 내용을 간단히 정리할 수 있는 문제를 선정하여 수록하였으며, 쉬는 시간의 재미있는 놀이를 통해 더욱 흥미롭게 글씨 쓰기를 할 수 있도록 구성하였습니다.

부록 : 단계별 단원 받아쓰기

차 례

1. 느낌을 말해요

자음자의 위치에 따라 글자의 모양을 알아봅시다.

※ 자음자가 위치에 따라 모양이 달라지는 것을 살펴봅시다.

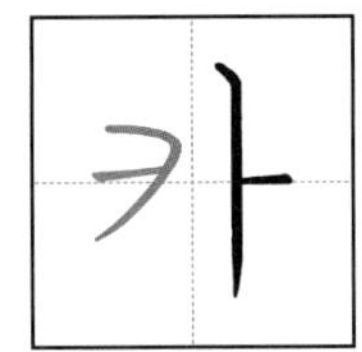

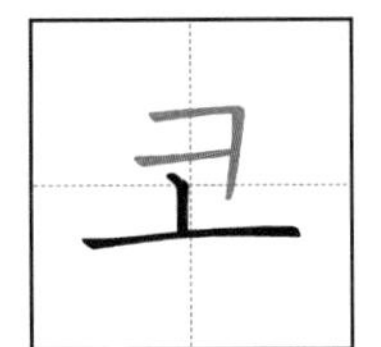

'카'와 '코'의 자음자 'ㅋ'은 그 위치에 따라 모양이 달라집니다.

※ 자음자가 위치에 따라 모양이 달라지는 낱말들을 살펴봅시다.

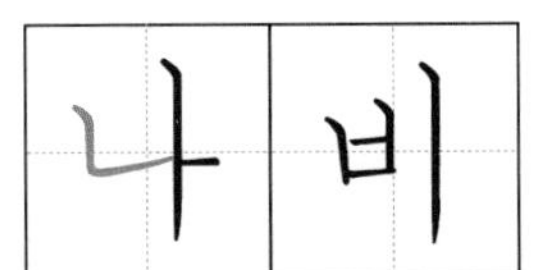

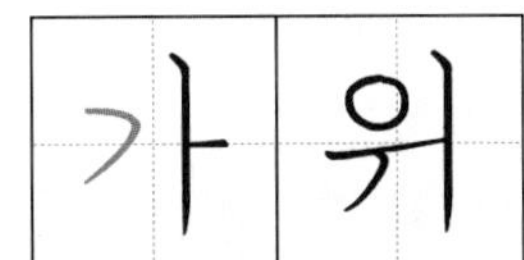

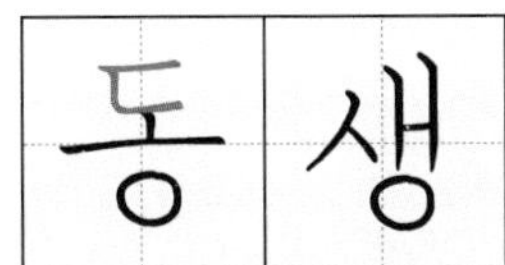

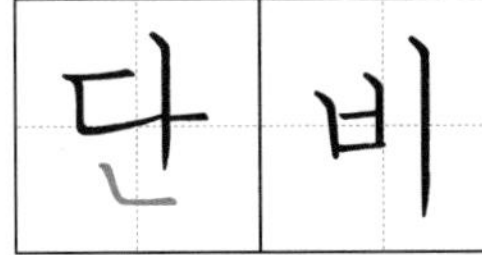

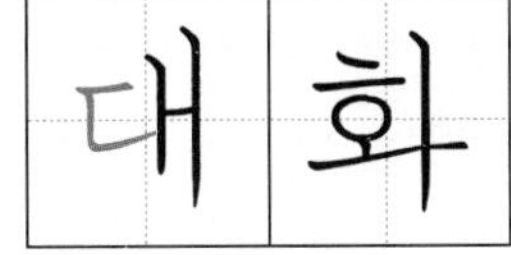

자음자는 위치에 따라 글자의 모양이 약간씩 달라집니다.

띄어쓰기를 바르게 하여 써 봅시다.

1 〈해동이의 어머니께서 쓰신 일기〉의 내용을 띄어쓰기하여 바르게 써 봅시다.

오늘 처음으로 배 속에 있는 우리 아기가 움직였다. 그 작은 움직임이 얼마나 놀랍고 신기한지.

	오	늘		처	음	으	로		배
속	에		있	는		우	리		아
기	가		움	직	였	다	.	그	
작	은		움	직	임	이		얼	마
나		놀	랍	고		신	기	한	지.

V

읽기 5쪽

글자의 모양을 생각하며 글씨를 바르게 써 봅시다.

1 시 〈호랑나비〉의 내용을 바르게 써 봅시다.

호	랑	나	비		호	랑	호	랑	
호	랑	나	비		호	랑	호	랑	
봄	이		왔	다		호	랑	호	랑
봄	이		왔	다		호	랑	호	랑
꽃	이		폈	다		호	랑	호	랑
꽃	이		폈	다		호	랑	호	랑

읽기 15쪽

글자의 모양을 생각하며 글씨를 바르게 써 봅시다.

2 시 〈꿩꿩 장 서방〉의 내용을 바르게 써 봅시다.

	꿩	꿩		장		서	방		자
	꿩	꿩		장		서	방		자
네		집	이		어	딨	니	?	
네		집	이		어	딨	니	?	
	저		산		넘	어	서		잔
	저		산		넘	어	서		잔
솔	밭	이		내		집	일	세	.
솔	밭	이		내		집	일	세	.

읽기 19쪽

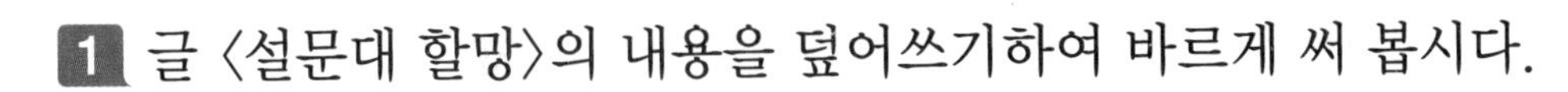

덮어쓰기를 하여 봅시다.

1 글 〈설문대 할망〉의 내용을 덮어쓰기하여 바르게 써 봅시다.

설문대 할망

“내가 입을 옷을 한 벌 지어 주면 저 멀리 육지까지 쭉쭉 다리를 놓아 주지.”

설문대 할망이 마음만 먹으면, 다리 놓기야 쉬운 일이지. 그래서 제주도 사람들이 모두 달려들어 할망의 옷을 짓기 시작하였단다.

자음자의 위치에 유의하여 글씨를 바르게 써 봅시다.

1 시 〈개구리네 한솥밥〉의 내용을 자음자 'ㄱ'에 유의하여 글씨를 바르게 써 봅시다.

개구리 덮적덮적

개구리 덮적덮적

길을 가노라니

길을 가노라니

길가 봇도랑에 우

길가 봇도랑에 우

는 소리 들렸네.

는 소리 들렸네.

자음자의 위치에 유의하여 글씨를 바르게 써 봅시다.

2 글 〈설문대 할망〉의 내용을 자음자 'ㄴ'에 유의하여 글씨를 바르게 써 봅시다.

	키	가		얼	마	나		큰	지,
	키	가		얼	마	나		큰	지,
남	해		바	다		깊	은		물
남	해		바	다		깊	은		물
도		겨	우		무	릎	에		닿
도		겨	우		무	릎	에		닿
았	대	.							
았	대	.							

읽기 6쪽

글씨를 바르게 써 봅시다.

1 시 〈영치기 영차〉의 내용을 바르게 써 봅시다.

	깜	장		흙		속	의		푸
른		새	싹	들	이				
	흙	덩	이	를		떠	밀	고	
나	오	면	서						
	히	-	영	치	기		영	차	
	히	-	영	치	기		영	차	

지금까지 배운 내용을 정리하여 봅시다.

1 다음 문장을 띄어쓰기에 유의하여 바르게 옮겨 써 봅시다. (첫째 칸부터 문장을 쓰시오.)

(1)

무슨김치먹었니?

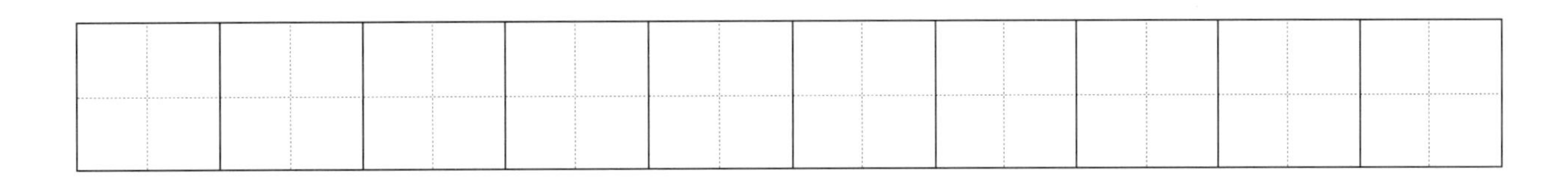

(2)

나혼자서먹었다.

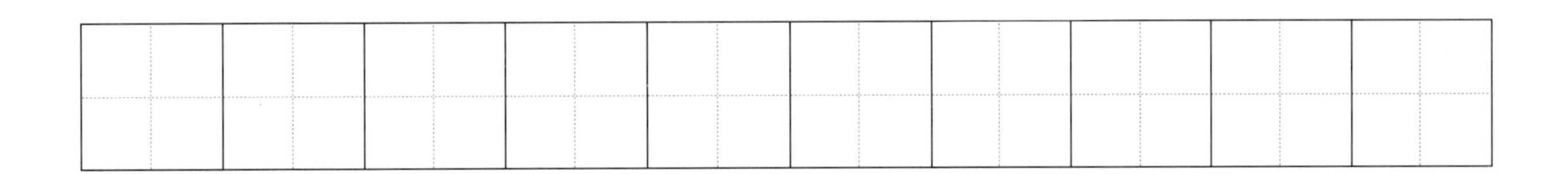

2 낱말 나 비 의 자음자 'ㄴ'과 같은 모양으로 써야 하는 낱말은 무엇인가요? (　　)

① 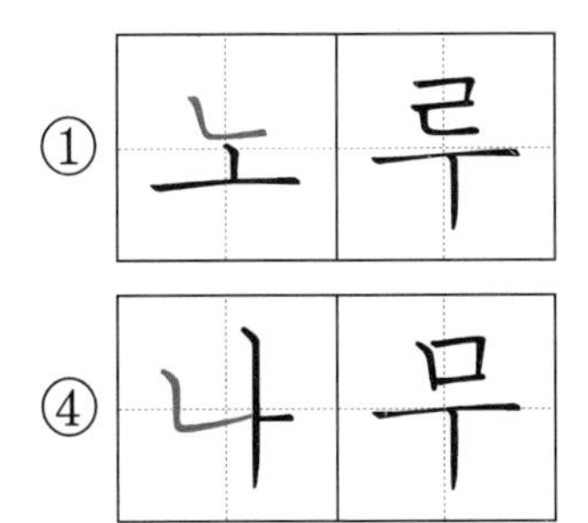

② 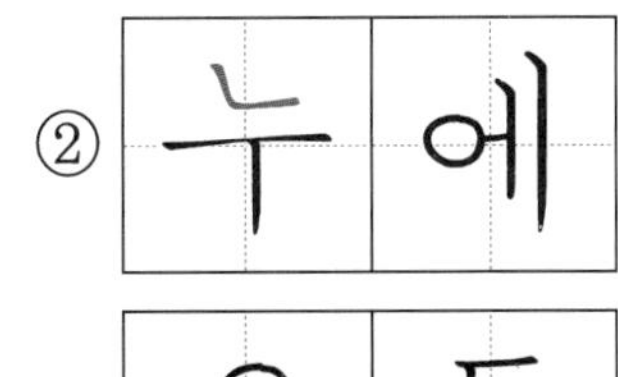

③ 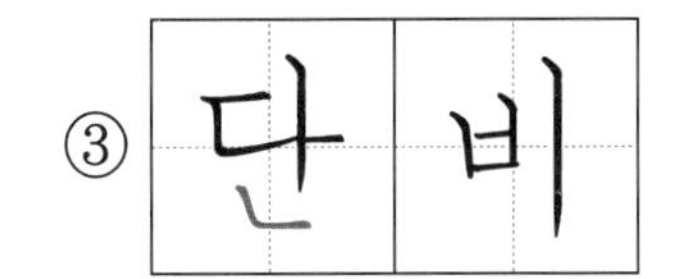

④ 나 무

⑤ 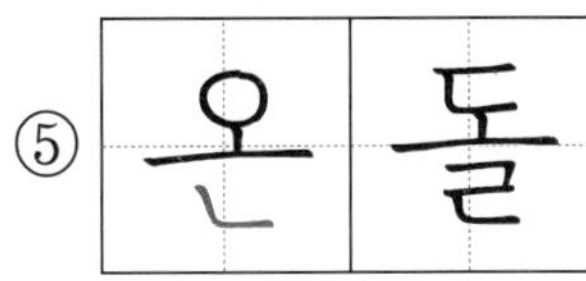

3 낱말 가 위 의 자음자 'ㄱ'과 같은 모양으로 써야 하는 낱말은 무엇인가요? (　　)

① 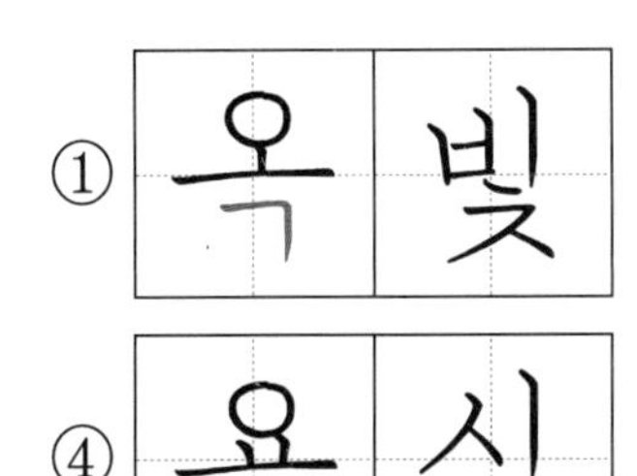

② 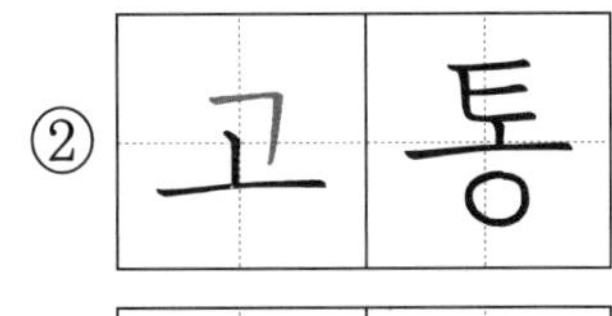

③ 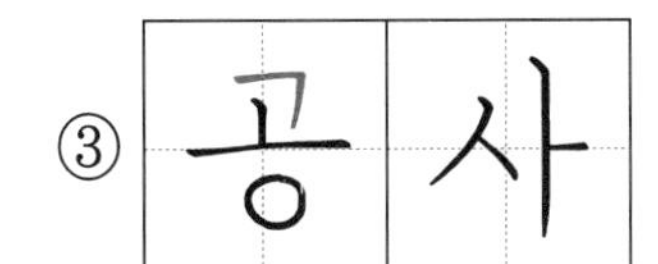

④ 욕 심

⑤ 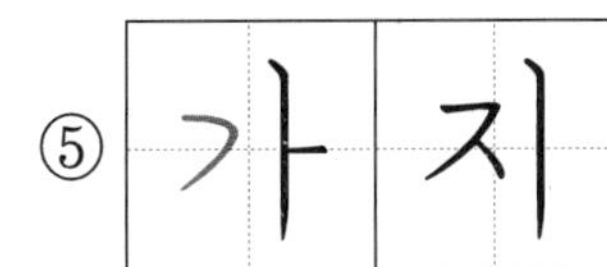

쉬는 시간

마인드맵 놀이

'일기'하면 떠오르는 낱말을 마인드맵의 구름 안에 써 봅시다.

'일기'하면 떠오르는 낱말을 하나씩 써 봅시다. 이런 것을 마인드맵이라고 합니다.

낱말의 뜻을 바르게 알아봅시다.

쓰기 22~23쪽

※ 두 친구의 대화를 살펴보고, 누구의 의견이 옳은지 생각해 봅시다.

책의 종류가 같지 않을 때에는 '다르다'라는 표현을 써야 합니다. '틀리다'는 어떤 것이 옳지 않을 때 사용하는 말입니다.

쓰기 23쪽

잘못 쓴 낱말을 살펴보고, 바르게 써 봅시다.

1 다음은 '호랑이꼬리여우원숭이'를 소개하는 글입니다. 잘 읽어보고, 밑줄 친 낱말을 **보기**처럼 바르게 다시 써 봅시다.

우리 가족은 동물원에 봄나들이를 갔다. 그곳에는 <u>마는</u> 종류의 원숭이가 있었다. 그 가운데 매우 신기하게 생긴 원숭이를 보았는데, 이름표에 있는 (1) <u>이르미</u> 잘 보이지 않았다. 같이 갔던 동생이 사육사 아저씨께 이름을 여쭈어 (2) <u>보앗다</u>. 아저씨는 '호랑이꼬리여우원숭이'라고 대답하셨다. 또, 아저씨는 호랑이꼬리여우원숭이가 (3) <u>아치메</u> 일찍 일어나 햇볕을 받으며 하루를 시작한다고 소개해 주셨다.

보기

마는 ⇒ 많은

많	은

많	은

(1) 이르미 ⇒ 이름이

이	름	이

(2) 보앗다 ⇒ 보았다

보	았	다

(3) 아치메 ⇒ 아침에

아	침	에

덮어쓰기를 하여 봅시다.

1 글 <독도의 여러 이름>의 내용을 덮어쓰기하여 바르게 써 봅시다.

	독	도	의		생	긴		모	양
을		보	고		‘	삼	봉	도	’
라	고		부	르	기	도		하	였
습	니	다	.	독	도	의		모	양
이		높	고		낮	은		세	
개	의		봉	우	리	처	럼		보
였	기		때	문	입	니	다	.	
	독	도	는		온	통		돌	로
이	루	어	진		섬	입	니	다	.
울	릉	도	에		사	는		사	람
들	은		독	도	를		‘	돌	섬’
또	는		‘	독	섬	’	으	로	
부	르	기	도		합	니	다	.	

쓰기 22~23쪽

뜻이 반대인 낱말을 알아봅시다.

1 다음 **보기**와 같이 뜻이 반대인 낱말을 바르게 써 봅시다.

보기

같은 ⇔ 다른

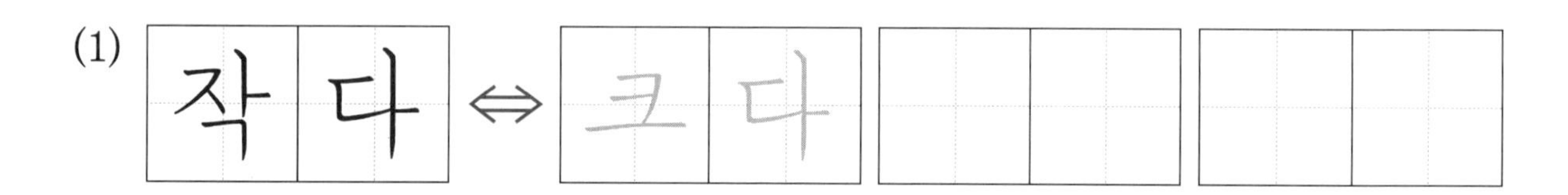

(1) 작다 ⇔ 크다

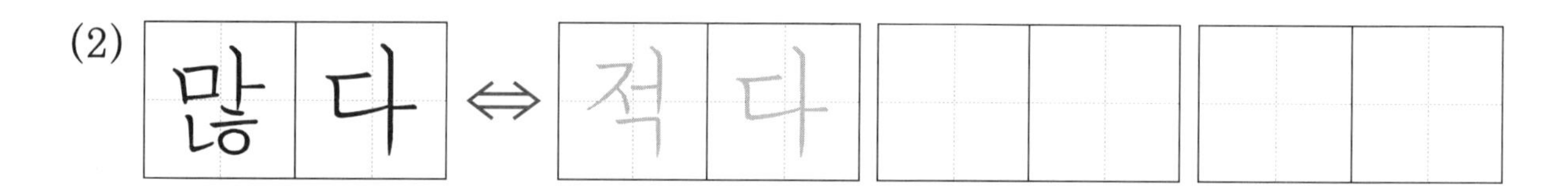

(2) 많다 ⇔ 적다

(3) 먼저 ⇔ 나중

(4) 틀린 ⇔ 옳은

(5) 가볍다 ⇔ 무겁다

낱말을 바르게 써 봅시다.

1 다음 낱말을 바르게 써 봅시다.

부	리
부	리

울	릉	도
울	릉	도

깃	털
깃	털

동	물
동	물

봉	우	리
봉	우	리

닭
닭

위	험
위	험

우	산	도
우	산	도

표	범
표	범

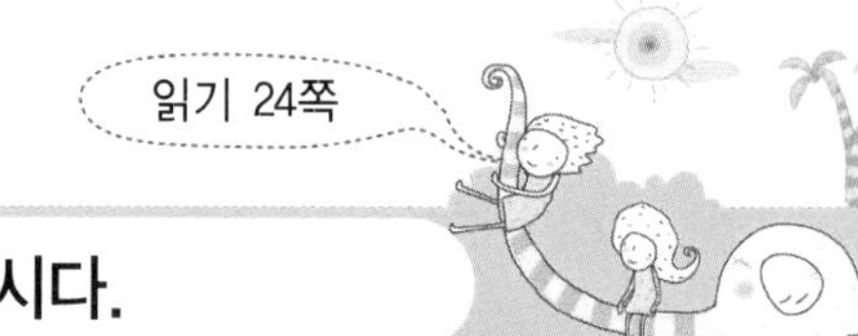

글자의 모양을 생각하며 글씨를 바르게 써 봅시다.

1 글 〈동물들은 어떻게 잘까요?〉의 내용을 바르게 써 봅시다.

	황	새	는		부	리	를		깃
	황	새	는		부	리	를		깃
털		사	이	에		파	묻	고	
털		사	이	에		파	묻	고	
한	쪽		다	리	로		서	서	
한	쪽		다	리	로		서	서	
잡	니	다	.	이	때	,	다	른	
잡	니	다	.	이	때	,	다	른	

글자의 모양을 생각하며 글씨를 바르게 써 봅시다.

1 글 〈동물들은 어떻게 잘까요?〉의 내용을 바르게 써 봅시다.

한	쪽		다	리	는		접	어	서
한	쪽		다	리	는		접	어	서
깃	털		사	이	에		넣	습	니
깃	털		사	이	에		넣	습	니
다	.	이	렇	게		서		있	으
다	.	이	렇	게		서		있	으
면		몸	의		열	이		빠	져
면		몸	의		열	이		빠	져

V

글자의 모양을 생각하며 글씨를 바르게 써 봅시다.

1 글 〈동물들은 어떻게 잘까요?〉의 내용을 바르게 써 봅시다.

나	가	는		것	을		줄	여	,
나	가	는		것	을		줄	여	,
추	위	로	부	터		몸	을		보
추	위	로	부	터		몸	을		보
호	할		수		있	습	니	다	.
호	할		수		있	습	니	다	.

자음자의 위치에 유의하여 글씨를 바르게 써 봅시다.

1 글 〈개미 이야기〉의 내용을 자음자 'ㅈ'에 유의하여 글씨를 바르게 써 봅시다.

	먼	저		간		개	미	는	
	먼	저		간		개	미	는	
나	중	에		올		개	미	가	
나	중	에		올		개	미	가	
길	을		잃	지		않	도	록	
길	을		잃	지		않	도	록	
냄	새	를		묻	히	며		기	어
냄	새	를		묻	히	며		기	어

읽기 30쪽

모음자의 위치에 유의하여 글씨를 바르게 써 봅시다.

1 글 〈개미 이야기〉의 내용을 모음자 'ㅐ'에 유의하여 글씨를 바르게 써 봅시다.

갑	니	다	.	뒤	에		오	는	
갑	니	다	.	뒤	에		오	는	
개	미	들	은		그		냄	새	를
개	미	들	은		그		냄	새	를
맡	으	며		같	은		길	을	
맡	으	며		같	은		길	을	
가	게		됩	니	다	.			
가	게		됩	니	다	.			

∨

읽기 25쪽

글씨를 바르게 써 봅시다.

1 글 〈동물들은 어떻게 잘까요?〉의 내용을 바르게 써 봅시다.

	기	린	은		목	과		다	리	
가		길	어		누	웠	다		일	
어	나	려	면		한	참		걸	립	
니	다	.	누	워	서		자	다	가	∨
사	자	나		표	범	과		같	은	∨
적	이		다	가	오	면		매	우	∨

글씨를 바르게 써 봅시다.

읽기 25쪽

1 글 〈동물들은 어떻게 잘까요?〉의 내용을 바르게 써 봅시다.

위험합니다. 그래서
기린은 적이 나타나
면 빨리 도망갈 수 ∨
있도록 주로 서서
꾸벅꾸벅 조는 듯이 ∨
잡니다.

지금까지 배운 내용을 정리하여 봅시다.

1 다음 문장에서 맞춤법이 틀린 낱말을 바르게 고쳐 써 봅시다.

(1) 오늘 아치메 늦잠을 잤다.

→ ______________________________

(2) 우리는 운동장에서 달리고 잇었다.

→ ______________________________

(3) 나의 이르믄 조현정이야.

→ ______________________________

(4) 마는 학생들이 공부를 열심히 한다.

→ ______________________________

2 다음 중 뜻이 반대인 낱말이 바르게 짝지어진 것은 무엇인가요? (　　)

① 먼저 ⇔ 우선

② 가벼운 ⇔ 무거운

③ 같은 ⇔ 틀린

④ 작다 ⇔ 적다

⑤ 가장자리 ⇔ 바깥자리

쉬는 시간

삼행시를 지어 보아요

다음 **보기**처럼 자신의 이름으로 삼행시를 지어 봅시다.

보기

박 – 박력있는 박지성 선수는

지 – 지고 있더라도

성 – 성공적으로 경기를 이끌어요.

▶ 내 이름

3. 이런 생각이 들어요

틀리기 쉬운 낱말을 살펴봅시다.

쓰기 106쪽

※ 옳은 낱말이 무엇인지 살펴봅시다.

보기

아침에는 (해님 / 햇님)이 활짝 인사합니다.

※ 붉은색으로 써 있는 옳은 낱말을 살펴봅시다.

꾸중을 들으니 기분이 (몹시 / 몹씨) 좋지 않았다.

수진이의 짝은 (심술쟁이 / 심술장이)입니다.

한글에는 소리나는 그대로 적는 낱말도 있고, 그렇지 않은 낱말도 있습니다. 맞춤법에 맞게 바르고 정확하게 사용해야 합니다.

낱말의 뜻을 알아봅시다.

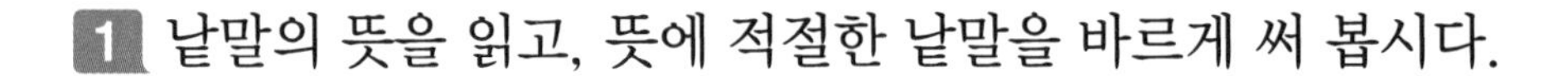

1 낱말의 뜻을 읽고, 뜻에 적절한 낱말을 바르게 써 봅시다.

짝을 이루는 동료, 뜻이 맞거나 매우 친한 사람을 이르는 말

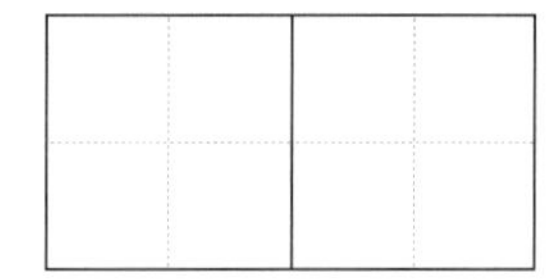

남을 괜히 미워하여 괴롭히려고 하는 사람

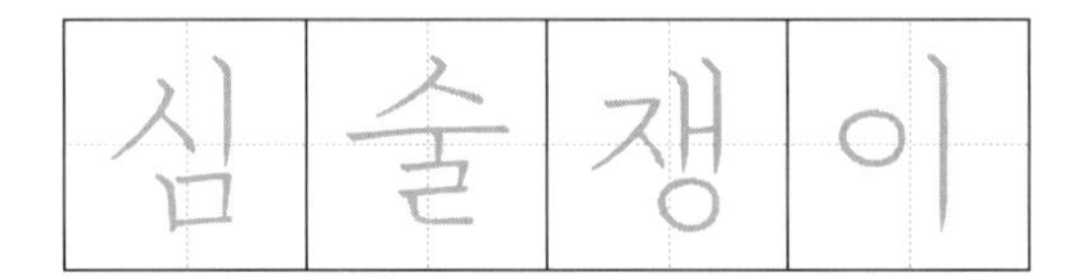

누구를 안다는 듯한 표정을 짓거나 가벼운 인사를 함

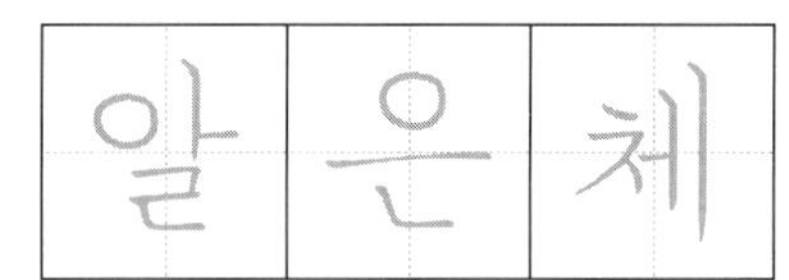

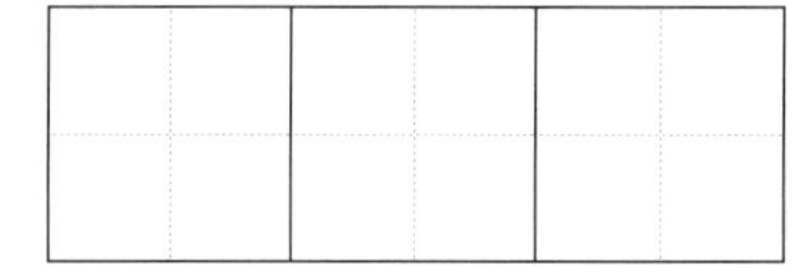

울음이 나오려는 얼굴 표정

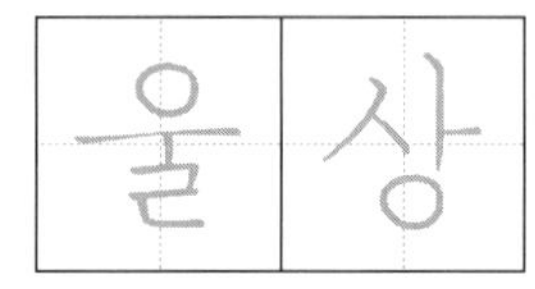

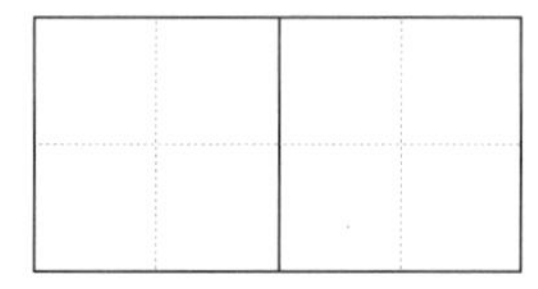
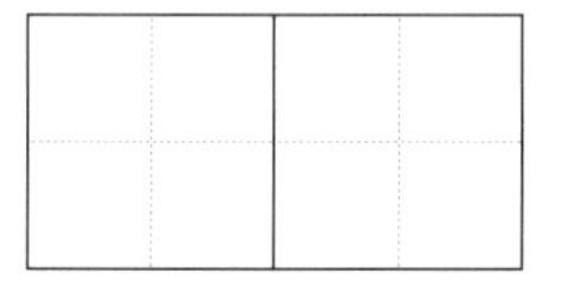

가슴이 자꾸 세차게 뛰는 모양

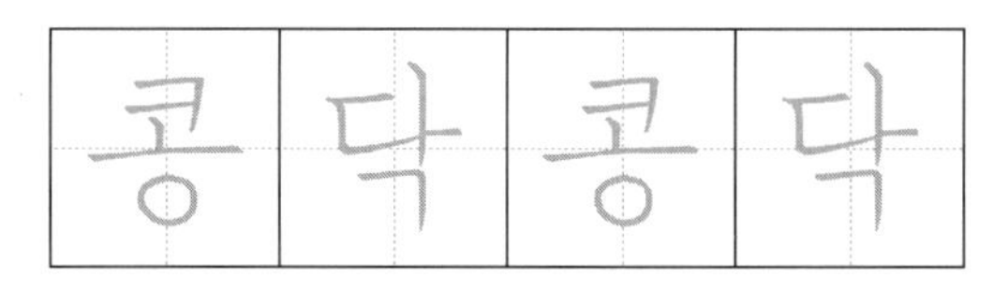

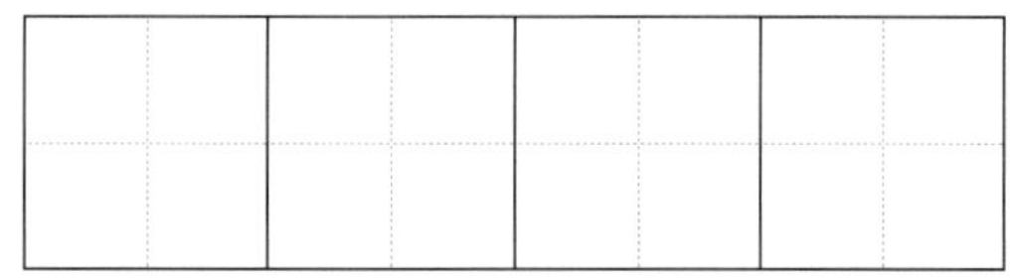

틀리기 쉬운 낱말을 바르게 써 봅시다.

1 다음 글의 빨간 글씨를 맞춤법에 유의하면서 바르게 써 봅시다.

학교에 도착하자, 수진이는 짝이었던 심술쟁이 종수를 알은체도 하지 않았습니다. 그 대신 착하고 친절한 영호를 살짝 쳐다보았습니다. 드디어 선생님께서 수진이의 이름을 부르셨습니다.

수진이의 가슴이 콩닥콩닥 뛰었습니다. 마음이 조마조마 하였습니다.

'누구와 짝꿍이 될까?'

"오철규!"

선생님께서 철규의 이름을 부르는 순간, 수진이는 울상이 되고 말았습니다.

심	술	쟁	이
심	술	쟁	이

조	마	조	마
조	마	조	마

짝	꿍
짝	꿍

울	상
울	상

알	은	체
알	은	체

낱말을 바르게 써 봅시다.

1 다음 낱말의 글씨를 바르게 써 봅시다.

목	욕
목	욕

밭
밭

아	침
아	침

코	끼	리
코	끼	리

호	수
호	수

손	뼉
손	뼉

주	인
주	인

저	녁
저	녁

꾸	중
꾸	중

싸	움
싸	움

코	뿔	소
코	뿔	소

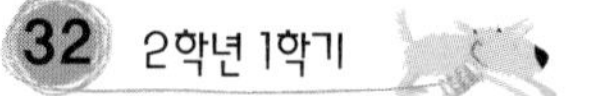

읽기 42쪽

덮어쓰기를 하여 봅시다.

1 글 〈어부와 멸치〉의 내용을 덮어쓰기하여 바르게 써 봅시다.

	“	그	때		잡	으	세	요	.
	부	탁	해	요	,	어	부	님	.”
	멸	치	는		간	절	하	게	
말	하	였	습	니	다	.			
	“	이		넓	은		바	다	에
	너	희	를		놓	아	주	면	
	나	중	에		어	떻	게		잡
	지	?		지	금		잡	은	
	너	희	를		놓	아	줄		수
	없	어	.”						
	어	부	는		이	렇	게		말
하	고	,	멸	치	를		잡	아	
집	으	로		돌	아	왔	습	니	다.

읽기 41~42쪽

대화를 바르게 써 봅시다.

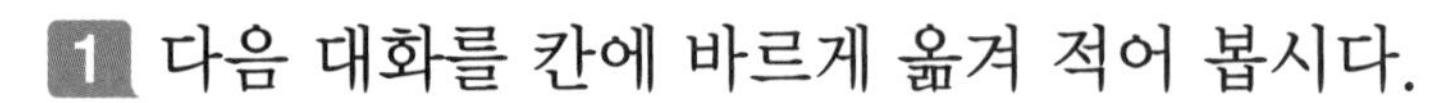

1 다음 대화를 칸에 바르게 옮겨 적어 봅시다.

(1) “큰일 났네. 육지로 끌려가면 꼼짝없이 죽을 텐데.”

	“	큰	일		났	네	.	육	지
로		끌	려	가	면		꼼	짝	없
이		죽	을		텐	데	.”		

(2) “어부님! 어부님! 저희를 살려 주세요.”

	“	어	부	님	!		어	부	님!
	저	희	를		살	려		주	세
	요	.”							

글자의 모양을 생각하며 글씨를 바르게 써 봅시다.

1 글 〈어린이 축구장이 생겼으면〉의 내용을 바르게 써 봅시다.

	어	제		우	리	가		집	
	어	제		우	리	가		집	
앞	에	서		축	구	를		하	는
앞	에	서		축	구	를		하	는
데	,	이	웃	집		아	저	씨	께
데	,	이	웃	집		아	저	씨	께
서		시	끄	럽	다	고		하	셨
서		시	끄	럽	다	고		하	셨

읽기 45쪽

글자의 모양을 생각하며 글씨를 바르게 써 봅시다.

1 글 〈어린이 축구장이 생겼으면〉의 내용을 바르게 써 봅시다.

다	.	꾸	중	을		들	으	니		
다	.	꾸	중	을		들	으	니		
기	분	이		좋	지		않	았	다.	
기	분	이		좋	지		않	았	다.	
	마	음		놓	고		축	구	할	V
	마	음		놓	고		축	구	할	
곳	이		있	으	면		좋	겠	다.	
곳	이		있	으	면		좋	겠	다.	

읽기 40쪽

자음자의 위치에 유의하여 바르게 써 봅시다.

1 글 〈어부와 멸치〉의 내용을 자음자 'ㄷ'에 유의하여 글씨를 바르게 써 봅시다.

	바	다	로		나	간		어	부
	바	다	로		나	간		어	부
는		좋	은		자	리	를		잡
는		좋	은		자	리	를		잡
고		그	물	을		던	져		놓
고		그	물	을		던	져		놓
았	습	니	다	.					
았	습	니	다	.					

읽기 40쪽

자음자의 위치에 유의하여 바르게 써 봅시다.

2 글 〈어부와 멸치〉의 내용을 자음자 'ㅂ'에 유의하여 글씨를 바르게 써 봅시다.

"허허, 처음부터
"허허, 처음부터

빈 그물이라니. 오
빈 그물이라니. 오

늘은 잡히는 고기
늘은 잡히는 고기

가 없구나!"
가 없구나!"

읽기 49쪽

글씨를 바르게 써 봅시다.

1 글 〈호수의 주인〉의 내용을 바르게 써 봅시다.

“코끼리는 아침에 ∨
주로 호수에 오니
까 아침에는 코끼
리의 호수로 하고, ∨
코뿔소는 저녁에
주로 오니까 저녁

글씨를 바르게 써 봅시다.

1 글 〈호수의 주인〉의 내용을 바르게 써 봅시다.

에는 코뿔소의 호
수로 하면 되지."
여우의 말을 들은
코뿔소와 코끼리는
마주 보며 고개를
끄덕였습니다.

지금까지 배운 내용을 정리해 봅시다.

1 다음 **보기**의 '낱말 뜻'을 나타내는 낱말은 무엇인가요? (   )

보기

낱말 뜻
: 누구를 안다는 듯한 표정을 짓거나 가벼운 인사를 함

① 알은체
② 무시
③ 우정
④ 설렘
⑤ 콩닥콩닥

2 다음 **보기**의 문장에서 틀린 낱말을 바르게 고쳐 써 봅시다.

보기

아침에는 햇님을 밤에는 달님을 만나요.

햇님 ➡ ____________

3 다음 **보기**의 대화를 칸에 바르게 옮겨 써 봅시다.

보기

"야, 요놈들 봐라. 하하하!"

쉬는 시간

끝말잇기 놀이

다음 **보기**처럼 끝말잇기를 하여 낱말을 써 봅시다.

보기

학교 – 교실 – 실내 – 내복 – 복수

4. 마음을 담아서

바른 맞춤법을 살펴봅시다.

쓰기 43쪽

※ 다음 쪽지에서 잘못 쓴 글자를 찾아보고, 바르게 고쳐 쓴 것을 살펴봅시다.

하늘이에게

집에 갈 때, 나와 같이 꼬빠테 가 보지 않을래? 아침에 신기한 달팽이를 보았거든. 달팽이가 잘 있는지 궁금해. 너와 꼭 가 보고 싶어.

정훈이가

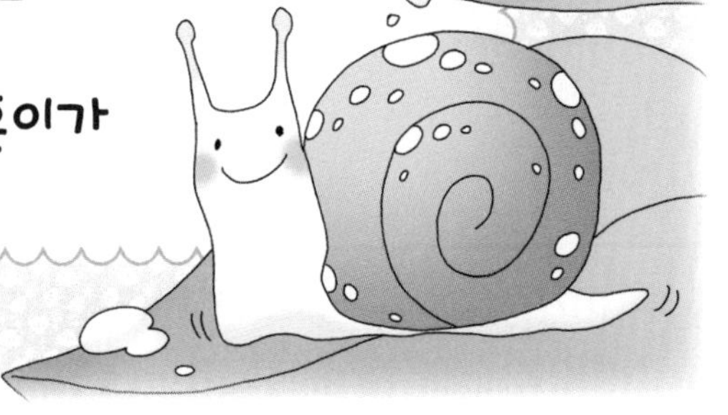

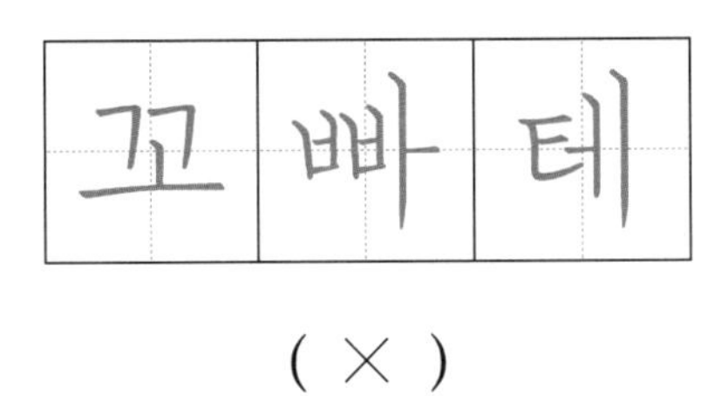

(×)

꽃 밭 에

(○)

소리나는 대로 글을 쓰면, 내용을 이해하기 어렵습니다. 맞춤법에 맞게 글을 써야 합니다.

뜻이 반대인 낱말에 대하여 알아봅시다.

1 다음 **보기**와 같이 뜻이 반대인 낱말을 바르게 써 봅시다.

(1) 강하다 ⇔ 약하다

(2) 깊다 ⇔ 얕다

(3) 나중 ⇔ 먼저

(4) 틀리다 ⇔ 옳다

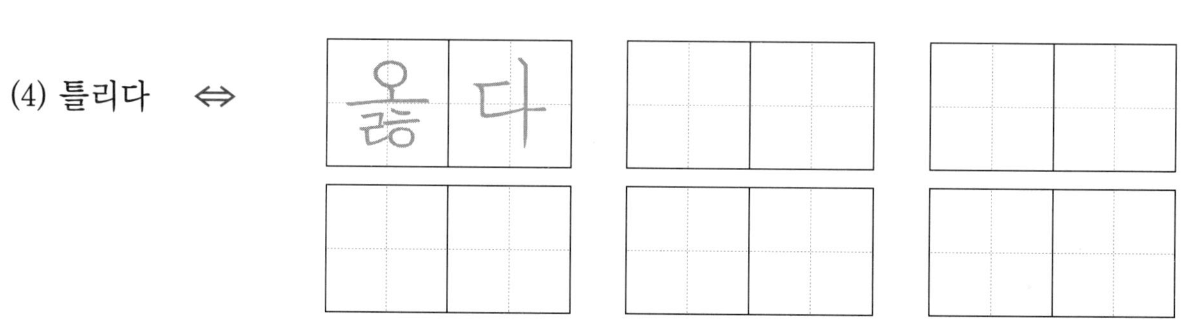

낱말을 바르게 써 봅시다.

1 다음 낱말의 글씨를 바르게 써 봅시다.

세	다
세	다

약	하	다
약	하	다

얼	굴
얼	굴

옳	다
옳	다

틀	리	다
틀	리	다

먼	저
먼	저

깊	다
깊	다

얕	다
얕	다

나	중
나	중

읽기 54쪽

글자의 모양을 생각하며 글씨를 바르게 써 봅시다.

1 시 〈까치〉의 내용을 바르게 써 봅시다.

				까	치				
				까	치				
	책	책	책		책	책	책	책	
	책	책	책		책	책	책	책	
	응	원	을		하	나		봐	요
	응	원	을		하	나		봐	요
	삼	삼	칠		박	수	를		
	삼	삼	칠		박	수	를		

읽기 54쪽

글자의 모양을 생각하며 글씨를 바르게 써 봅시다.

1 시 〈까치〉의 내용을 바르게 써 봅시다.

	어	디	서		배	웠	을	까	
	어	디	서		배	웠	을	까	
	꼬	리	를						
	꼬	리	를						
	흔	들	어		대	며			
	흔	들	어		대	며			
	책	책	책	책		책	책	책	
	책	책	책	책		책	책	책	

4 마음을 담아서

읽기 56쪽

띄어쓰기를 바르게 하여 써 봅시다.

1 다음 문장을 띄어쓰기하여 바르게 써 봅시다.

우리∨반∨아이들이∨돋보기를∨친구∨얼굴에∨가져다∨대고∨서로∨우습다고∨히히거립니다.

	우	리		반		아	이	들	이
돋	보	기	를		친	구		얼	굴
에		가	져	다		대	고		서
로		우	습	다	고		히	히	거
립	니	다	.						

∨

읽기 56~57쪽

덮어쓰기를 하여 봅시다.

1 글 〈돋보기 보기〉의 내용을 덮어쓰기하여 바르게 써 봅시다.

	그	러	더	니		이	번	에	는	V
선	생	님		얼	굴	에		가	져	
다		댑	니	다	.					
	“	칵	!	”						
	선	생	님		얼	굴	을		비	
추	어		보	던		아	이	가		
까	르	르		웃	습	니	다	.		
	곁	에		있	던		아	이	들	
이		다	투	어		돋	보	기	를	V
선	생	님		눈	에	도	,	귀	에	
도	,	코	에	도		가	져	다		
대		봅	니	다	.	아	이	들	은	V
또		깔	깔	거	립	니	다	.		

읽기 60쪽

자음자의 위치에 유의하여 글씨를 바르게 써 봅시다.

1 글 〈호랑이를 잡은 반쪽이〉의 내용을 자음자 'ㅅ'에 유의하여 글씨를 바르게 써 봅시다.

반쪽이는 두 형보

반쪽이는 두 형보

다 힘이 더 세고

다 힘이 더 세고

마음씨도 착하였어.

마음씨도 착하였어.

어느 날, 마을에

어느 날, 마을에

읽기 60쪽

자음자의 위치에 유의하여 글씨를 바르게 써 봅시다.

1 글 〈호랑이를 잡은 반쪽이〉의 내용을 자음자 'ㅅ'에 유의하여 글씨를 바르게 써 봅시다.

큰	일	이		생	겼	어	.	호	랑
큰	일	이		생	겼	어	.	호	랑
이	가		나	타	나	서		소	와
이	가		나	타	나	서		소	와
돼	지	를		잡	아	가	고		또
돼	지	를		잡	아	가	고		또
잡	아	갔	지	.					
잡	아	갔	지	.					

읽기 63쪽

글씨를 바르게 써 봅시다.

1 글 <호랑이를 잡은 반쪽이>의 내용을 바르게 써 봅시다.

	산	속		깊	이		들	어	간
반	쪽	이	는		대	궐		같	은
집	에	서		하	룻	밤	을		묵
게		되	었	지	.	수	염	이	
하	얀		영	감	이		나	와	
반	쪽	이	를		반	갑	게		맞

글씨를 바르게 써 봅시다.

읽기 63쪽

1 글 〈호랑이를 잡은 반쪽이〉의 내용을 바르게 써 봅시다.

이하였어.

"저에게 밥 한

그릇만 주십시오.

아무 데서나 자다

가 아침 일찍 떠

나겠습니다."

읽기 63~64쪽

글씨를 바르게 써 봅시다.

1 글 〈호랑이를 잡은 반쪽이〉의 내용을 바르게 써 봅시다.

 반쪽이는 밥을 먹
은 뒤, 마루 밑에
들어가 잠을 잤어.
 새벽이 되었지. 반
쪽이는 두런거리는
소리에 잠을 깼어.

지금까지 배운 내용을 정리하여 봅시다.

1 다음 중 띄어쓰기가 바르게 된 것은 어느 것인가요? (　　　)

① 친구와∨함께∨학교에갔∨습니다.

② 수업∨시간에∨열심∨히공부했습니다.

③ 친구에게∨편지를씁니다.

④ 게시판에∨내그림이∨걸렸습니다.

⑤ 부모님과∨함께∨외출하면∨즐겁습니다.

2 다음 **보기**에서 서로 반대되는 낱말을 찾아 써 봅시다.

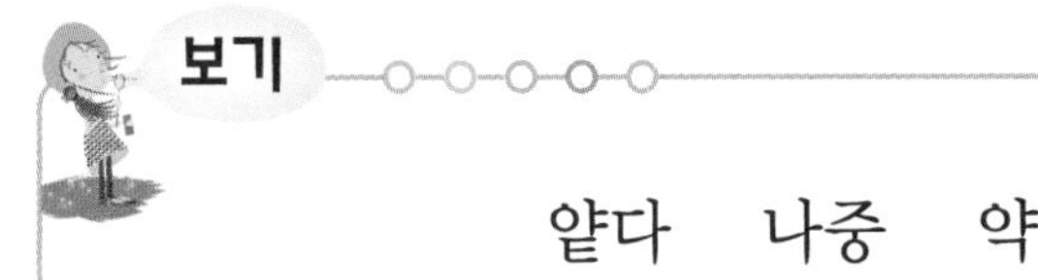

보기

얕다　나중　약하다　짧다　틀리다

(1) 길다 ↔ ______________________

(2) 옳다 ↔ ______________________

(3) 먼저 ↔ ______________________

(4) 깊다 ↔ ______________________

(5) 세다 ↔ ______________________

4 마음을 담아서

쉬는 시간

'리 리 리'자로 끝나는 말은?

보기와 같이 '리'자로 끝나는 말을 빈칸에 바르게 써 봅시다.

5. 무엇이 중요할까?

글자 모양을 알아봅시다.

※ 다음 글자들의 공통적인 글자 모양을 생각해 봅시다.

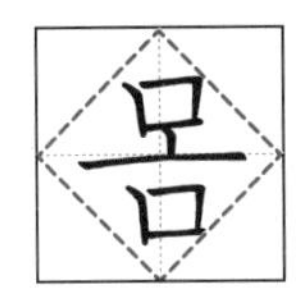

'몸', '수', '을'은 글자 모양이 ◇ 입니다.

※ ◇ 모양의 글자로 이루어진 낱말을 살펴봅시다.

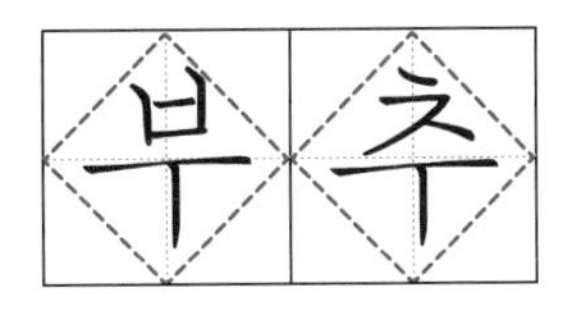

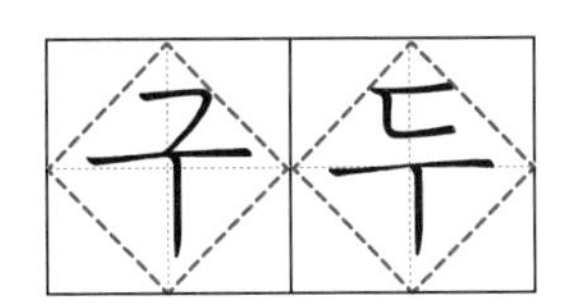

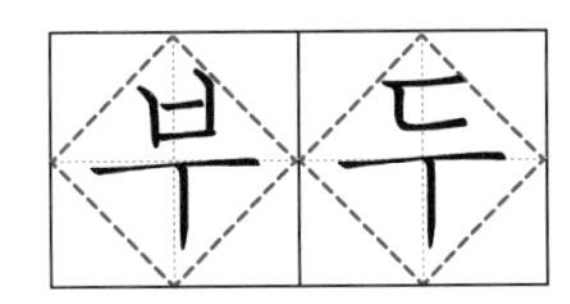

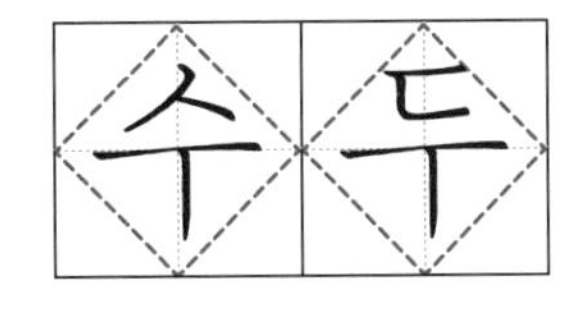

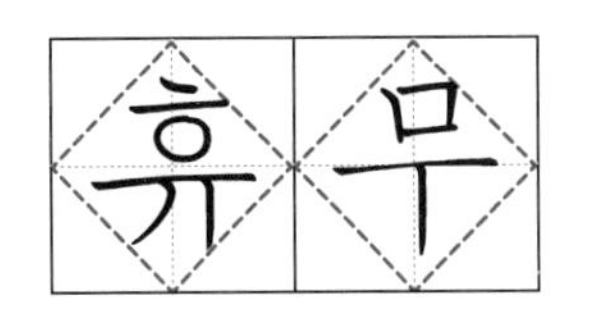

글자의 모양에 맞게 써야 글씨가 예쁩니다. 이 단원에서는 글자 모양이 ◇ 인 글자를 중심으로 바르게 써 봅시다.

글자의 모양을 알아봅시다.

1 글자 모양이 ◇인 글자에 유의하며 낱말을 바르게 써 봅시다.

수 도

수 도

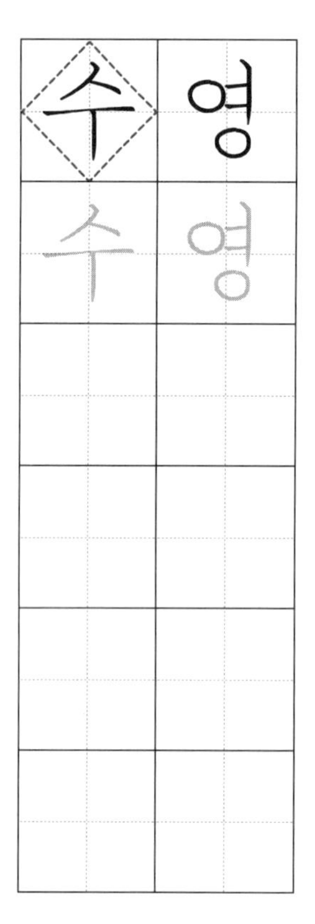

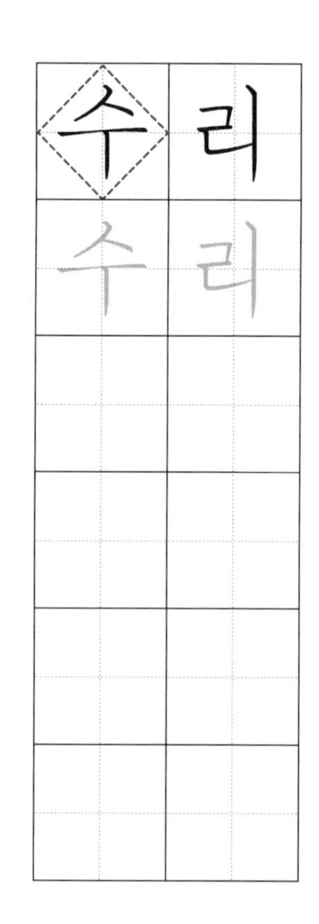

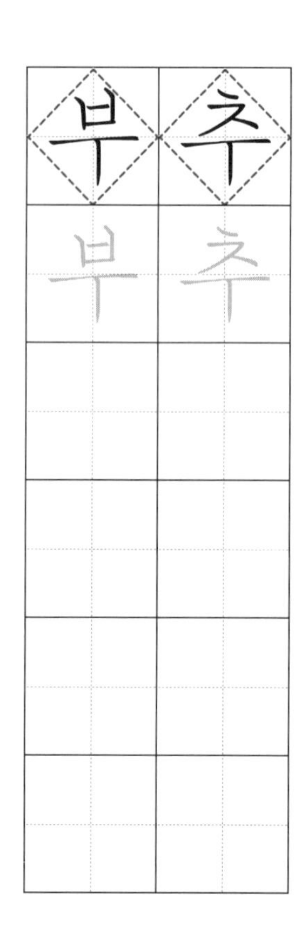

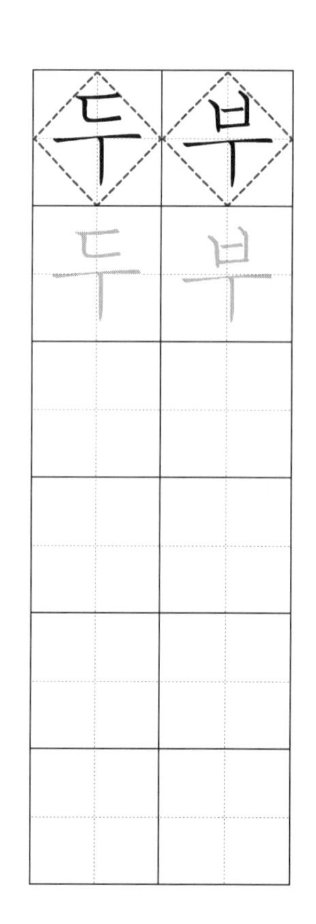

부 모 님

부 모 님

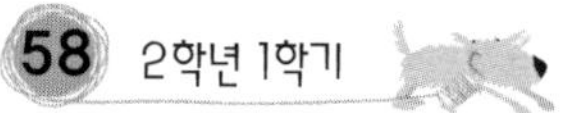

표기와 다르게 읽히는 단어를 알아봅시다.

읽기 76쪽

1 다음 **보기**와 같이 잘못 표기된 낱말을 바르게 고쳐, 문장을 다시 써 봅시다.

보기

옌날 사람들의 훌륭한 솜씨도 배우게 됩니다.

옌날 ⇒ 옛 날

(1) 아름다운 부채를 만듬니다. ⇒

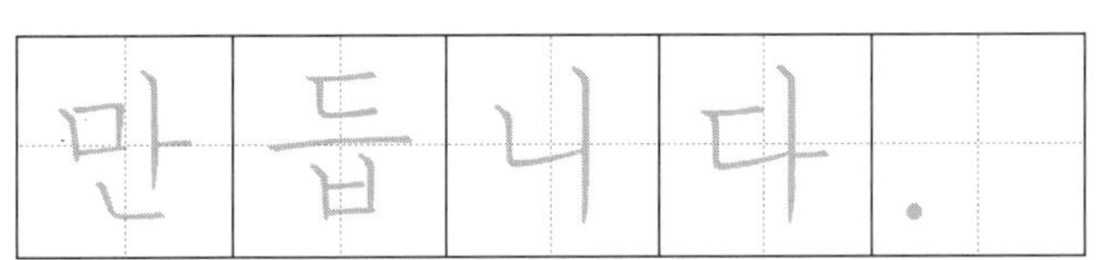

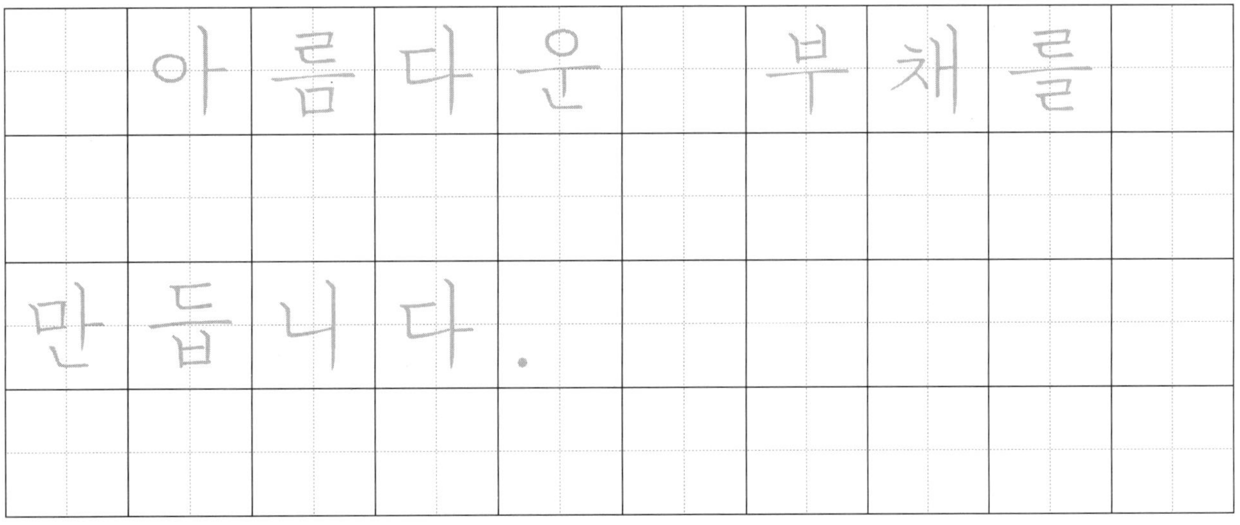

(2) 물건을 직쩝 만들어 볼 수 있습니다. ⇒

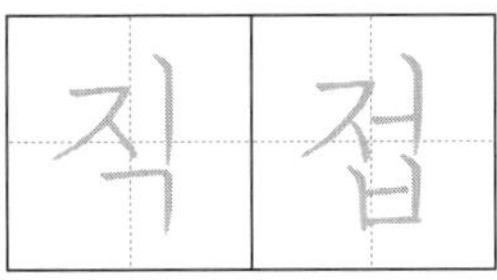

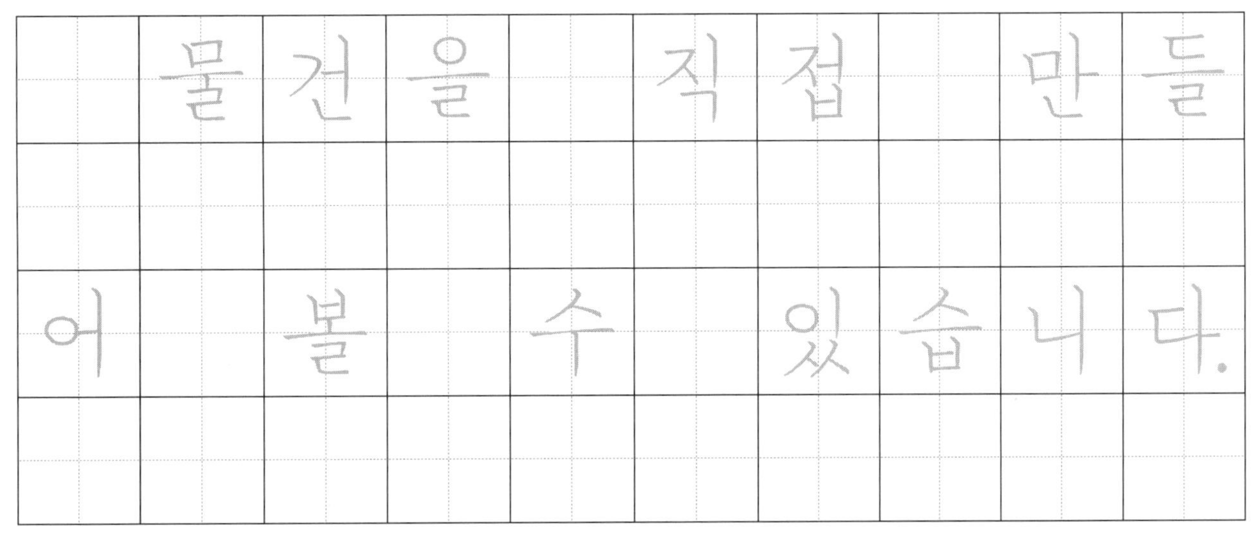

5 무엇이 중요할까?

읽기 72~76쪽

낱말을 바르게 써 봅시다.

1 다음 낱말의 글씨를 바르게 써 봅시다.

부	채
부	채

그	릇
그	릇

음	료	수
음	료	수

주	의
주	의

찻	잔
찻	잔

음	식	물
음	식	물

종	류
종	류

진	흙
진	흙

도	자	기
도	자	기

낱말을 바르게 써 봅시다.

2 글 〈진흙으로 만든 그릇〉에 나오는 낱말들을 '낱자 사이의 간격'에 유의하여 바르게 써 봅시다.

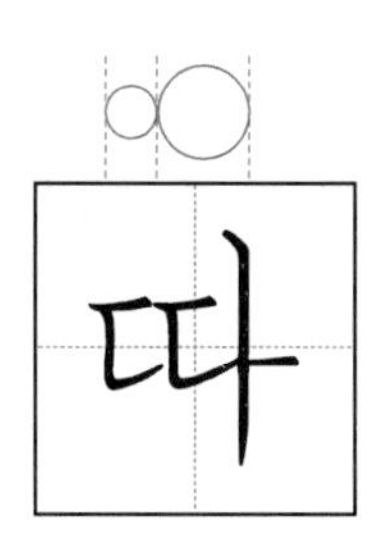

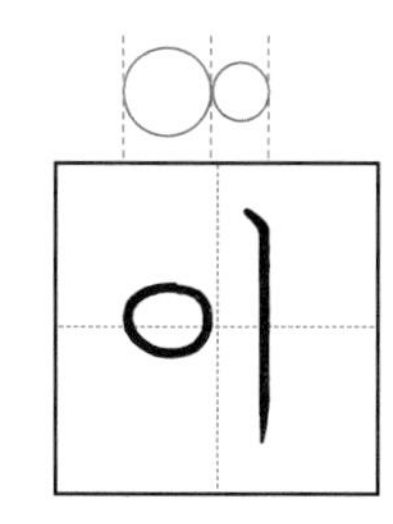

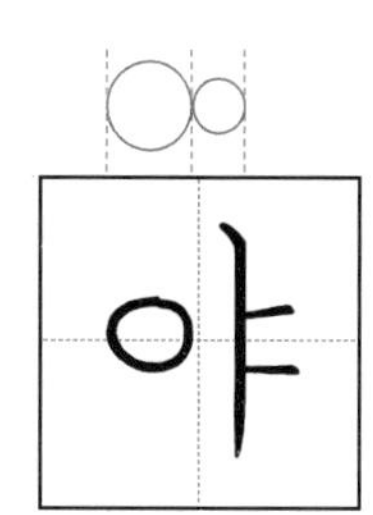

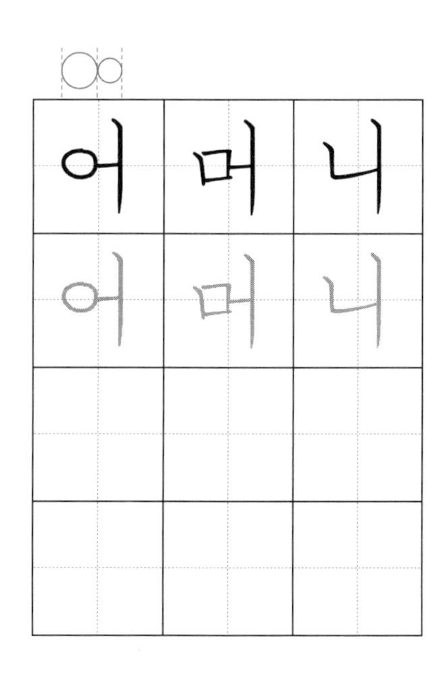

모 양
모 양

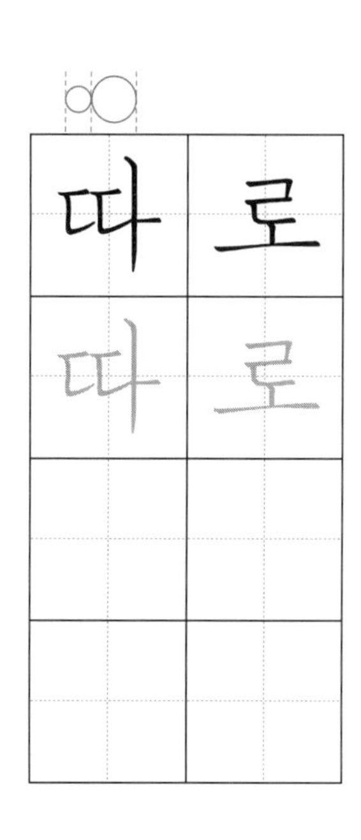

항 아 리
항 아 리

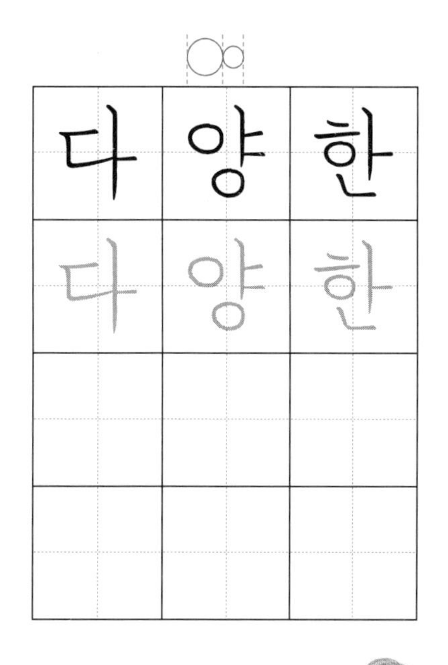

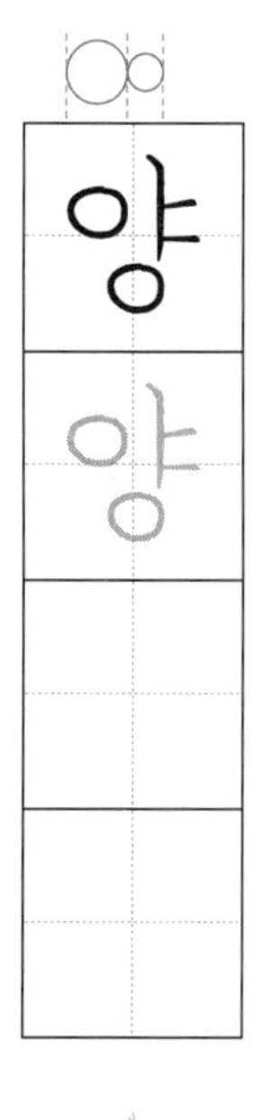

5 무엇이 중요할까?

읽기 76쪽

글자의 모양을 생각하며 글씨를 바르게 써 봅시다.

1 글 〈전통 공예 체험 행사〉의 내용을 바르게 써 봅시다.

	이	번		전	통		공	예		
	이	번		전	통		공	예		
체	험		행	사	에	서	는		세	V
체	험		행	사	에	서	는		세	
가	지		체	험	을		합	니	다.	V
가	지		체	험	을		합	니	다.	
첫	째		날	과		둘	째		날	
첫	째		날	과		둘	째		날	

글자의 모양을 생각하며 글씨를 바르게 써 봅시다.

1 글 〈전통 공예 체험 행사〉의 내용을 바르게 써 봅시다.

에	는		각	각		한	지	로	
에	는		각	각		한	지	로	
예	쁜		종	이		상	자	와	
예	쁜		종	이		상	자	와	
부	채	를		만	듭	니	다	.	셋
부	채	를		만	듭	니	다	.	셋
째		날	에	는		흙	으	로	
째		날	에	는		흙	으	로	

읽기 76쪽

글자의 모양을 생각하며 글씨를 바르게 써 봅시다.

1 글 〈전통 공예 체험 행사〉의 내용을 바르게 써 봅시다.

도	자	기		찻	잔	을		만	듭
도	자	기		찻	잔	을		만	듭
니	다	.	옛	날		사	람	들	이
니	다	.	옛	날		사	람	들	이
사	용	하	던		물	건	을		직
사	용	하	던		물	건	을		직
접		만	들	어		봅	니	다	.
접		만	들	어		봅	니	다	.

V

덮어쓰기를 하여 봅시다.

1 글 〈진흙으로 만든 그릇〉의 내용을 덮어쓰기하여 바르게 써 봅시다.

	옹	기	전	에		도	착	해	
보	니	,	앞	마	당	에		줄	지
어		서		있	는		항	아	리
가		보	였	다	.	크	고		작
은		항	아	리	,	배	불	뚝	이
모	양	이		조	금	씩		다	른
항	아	리	가		있	었	다	.	항
아	리	는		대	부	분		갈	색
인	데	,	어	떤		것	은		반
들	반	들		하	였	다	.		
	옹	기	전		안	에	는		여
러		종	류	의		그	릇	이	
많	았	다	.						

5 무엇이 중요할까?

읽기 74쪽

자음자의 위치에 유의하여 글씨를 바르게 써 봅시다.

1 글 〈진흙으로 만든 그릇〉의 내용을 자음자 'ㄹ'에 유의하여 글씨를 바르게 써 봅시다.

“옹기 그릇은 옛날
“옹기 그릇은 옛날

부터 조상들이 쓰
부터 조상들이 쓰

던 그릇이야. 음식
던 그릇이야. 음식

물을 담아 놓으면 ∨
물을 담아 놓으면

읽기 74쪽

자음자의 위치에 유의하여 글씨를 바르게 써 봅시다.

1 글 〈진흙으로 만든 그릇〉의 내용을 자음자 'ㄹ'에 유의하여 글씨를 바르게 써 봅시다.

쉽게 상하지 않지. V
쉽게 상하지 않지.

맛도 더 좋아진단
맛도 더 좋아진단

다."
다."

"어째서 그래요?"
"어째서 그래요?"

글씨를 바르게 써 봅시다.

1 글 〈푸른꿈도서관〉의 내용을 바르게 써 봅시다.

	도	서	관		회	원	증	이	
있	으	면		책	을		빌	려	
갈		수		있	습	니	다	.	
	회	원	증	과		책	을		확
인	하	고		책	을		빌	려	
줍	니	다	.						

지금까지 배운 내용을 정리해 봅시다.

1 글자의 모양에 ◇이 있는 낱말은 어느 것인가요? (　　　)

① 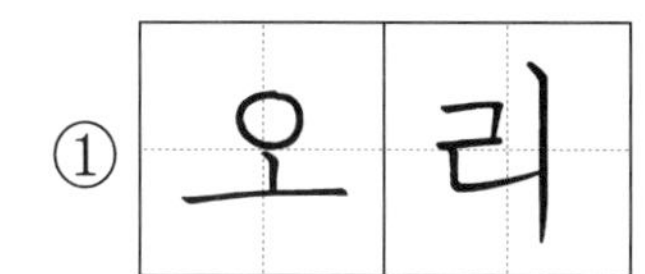

② 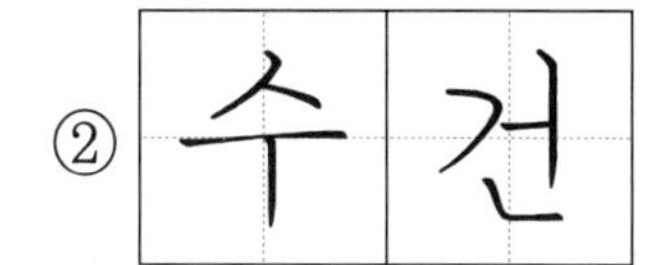

③ 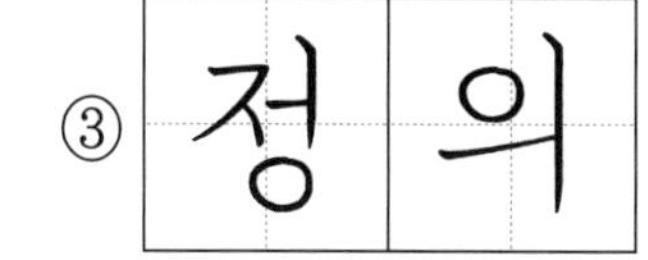

④ 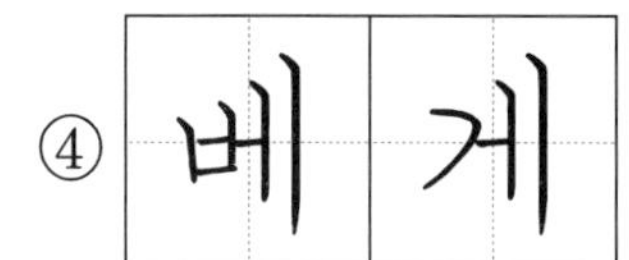

⑤ 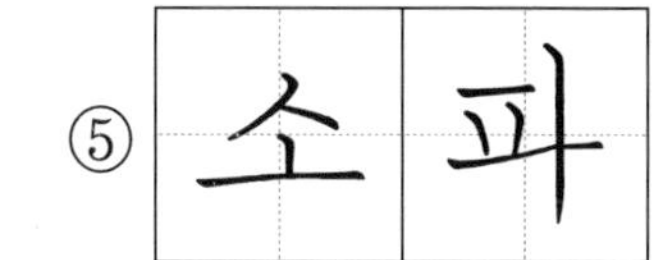

2 다음 문장에서 맞춤법이 틀린 낱말을 바르게 고쳐 써 봅시다.

(1) <u>옌날</u> 사람들은 한복을 입었습니다.

→ ____

(2) 집은 나무로 <u>만듭니다</u>.

→ ____

(3) 우리 어머니가 <u>직쩝</u> 만들어주신 가방이야.

→ ____

3 다음 낱말을 바르게 써 봅시다.

(1) 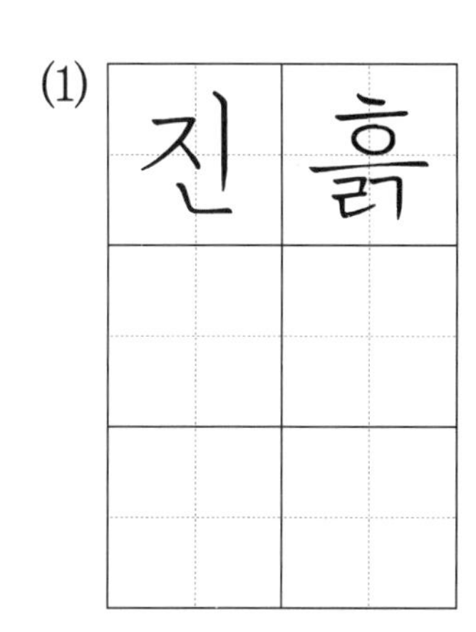

(2) 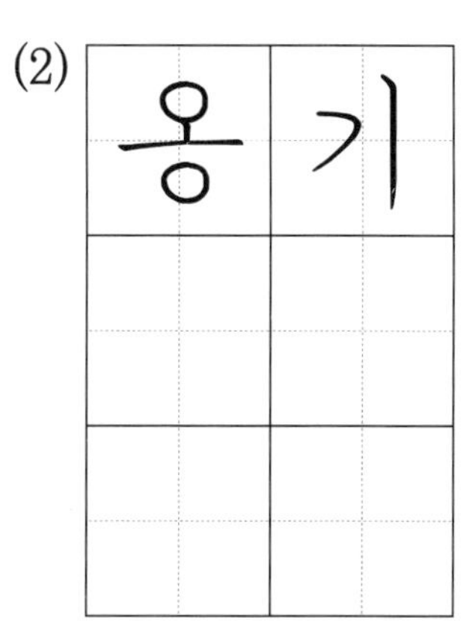

(3) 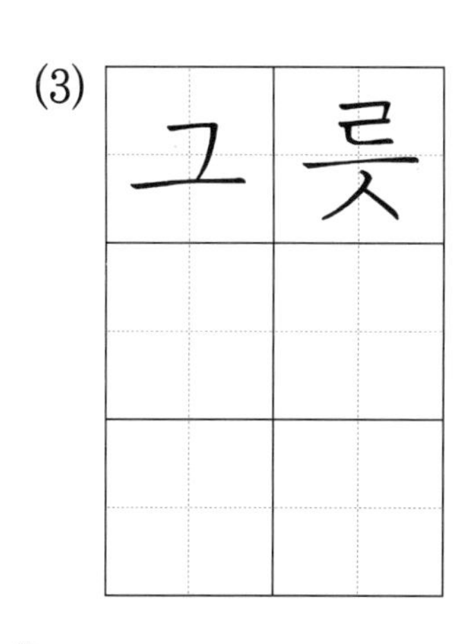

색칠공부를 해 봅시다.

다음 그림을 색연필로 색칠해 봅시다. (준비물 : 색연필)

〈그림 해설〉

한 거인이 등불을 들고 마을에 찾아왔어요. 자신의 옷을 지어달라고 부탁하려고 왔지요. '누구에게 부탁을 하지?'라고 생각하며 걸어가고 있어요.

6. 의견이 있어요

글자와 다르게 소리가 나는 경우를 알아봅시다.

쓰기 65쪽

※ 다음 그림을 살펴보고, 여학생이 무엇을 생각하는지 살펴봅시다.

우리말에는 글자와 다르게 소리가 나는 경우가 있습니다. 예를 들면, '돌아오던'이라고 쓰고, [도라오던]이라고 발음합니다.

읽기 86쪽

낱말을 바르게 써 봅시다.

1 글 〈물 없이 살 수 없어요〉에 나오는 낱말을 바르게 써 봅시다.

도	움
도	움

설	거	지
설	거	지

빨	래
빨	래

양	치	질
양	치	질

찌	꺼	기
찌	꺼	기

물
물

세	수
세	수

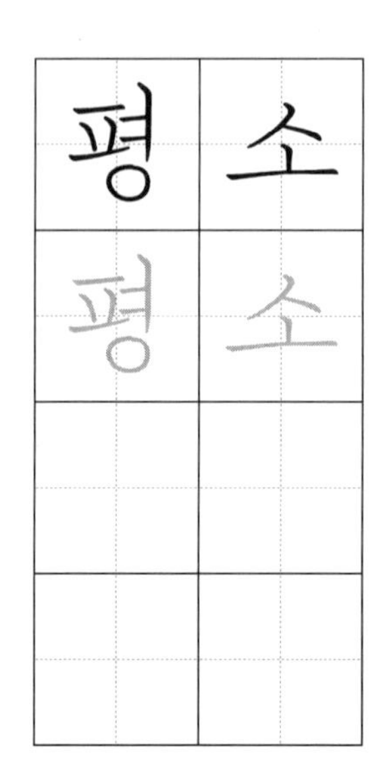

평	소
평	소

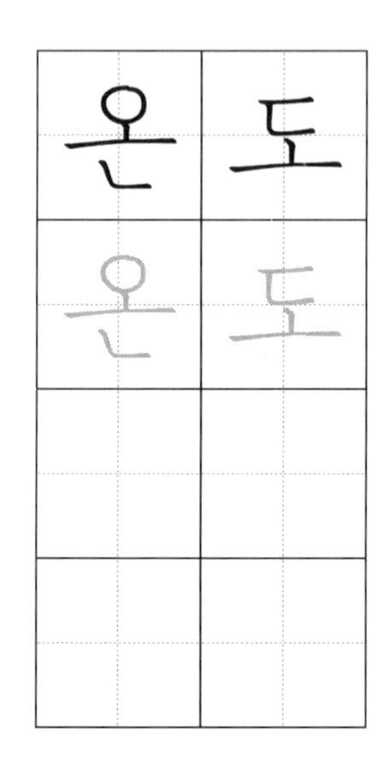

온	도
온	도

편	리
편	리

글자와 다르게 소리가 나는 말을 알아봅시다.

1 다음 글에서 틀린 글자를 바르게 고쳐 써 봅시다.

나는 공룡 시대로 가고 싶어. (1) 외냐하면, 내 장래 희망이 공룡 박사라서 공룡에 대하여 더 자세히 알고 싶기 때문이야. 거기서 공룡도 직접 만져 보고, 공룡이 (2) 조아하는 먹이도 관찰할 수 있잖아? 그래서 난 그 기차에 꼭 타고 (3) 시퍼.

(1) 외냐하면 ⇒

(2) 조아하는 ⇒

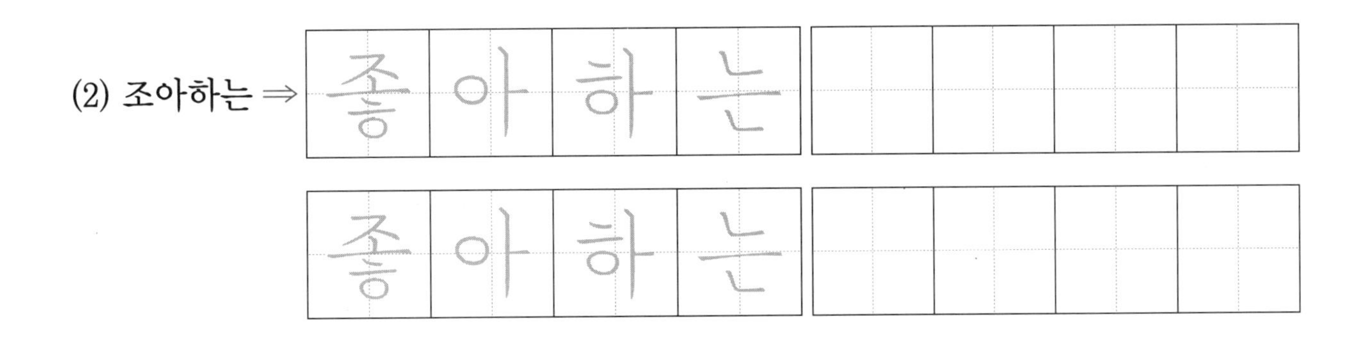

(3) 시퍼 ⇒

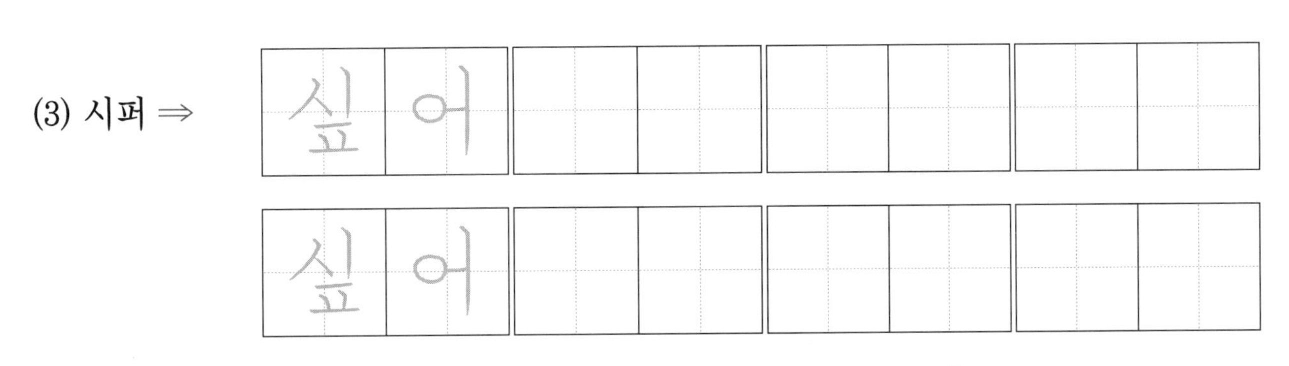

읽기 88쪽

글자의 모양을 생각하며 글씨를 바르게 써 봅시다.

1 글 <해와 달이 본 세상>의 내용을 바르게 써 봅시다.

"사람들이 사는

"사람들이 사는

곳은 참 아름다워. ∨

곳은 참 아름다워.

사람들은 항상 열

사람들은 항상 열

심히 일하고 있지. ∨

심히 일하고 있지.

읽기 88~89쪽

글자의 모양을 생각하며 글씨를 바르게 써 봅시다.

1 글 <해와 달이 본 세상>의 내용을 바르게 써 봅시다.

나뭇잎은 초록색이
나뭇잎은 초록색이

라서 얼마나 예쁜
라서 얼마나 예쁜

지 몰라."
지 몰라."

해의 이야기를 들
해의 이야기를 들

읽기 89쪽

글자의 모양을 생각하며 글씨를 바르게 써 봅시다.

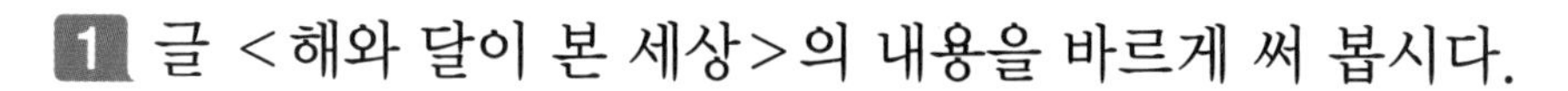

1 글 <해와 달이 본 세상>의 내용을 바르게 써 봅시다.

은 달이 말하였습니

다.

"아니야, 나뭇잎은

은빛으로 빛나."

자음자의 위치에 유의하여 글씨를 바르게 써 봅시다.

1 글 〈작은 것도 소중해〉의 내용을 자음자 'ㅈ'에 유의하여 글씨를 바르게 써 봅시다.

	작	은		것	도		소	중	해
	작	은		것	도		소	중	해
	학	교		수	업	을		마	치
	학	교		수	업	을		마	치
고		집	으	로		돌	아	오	던
고		집	으	로		돌	아	오	던
길	이	었	습	니	다	.	이	웃	집
길	이	었	습	니	다	.	이	웃	집

읽기 92쪽

자음자의 위치에 유의하여 글씨를 바르게 써 봅시다.

1 글 〈작은 것도 소중해〉의 내용을 자음자 'ㅈ'에 유의하여 글씨를 바르게 써 봅시다.

형	이		동	전	을		떨	어	뜨
형	이		동	전	을		떨	어	뜨
리	고		지	나	갔	습	니	다	.
리	고		지	나	갔	습	니	다	.
나	는		얼	른		달	려	가	
나	는		얼	른		달	려	가	
동	전	을		주	웠	습	니	다	.
동	전	을		주	웠	습	니	다	.

읽기 96쪽

글씨를 바르게 써 봅시다.

1 글 〈누구를 보낼까요?〉의 내용을 바르게 써 봅시다.

"나는 아주 오래
전부터 지구에서
살았습니다. 그래서 ∨
지구에 대하여 누
구보다 잘 알고
있지요. 여러분이

읽기 96쪽

글씨를 바르게 써 봅시다.

1 글 〈누구를 보낼까요?〉의 내용을 바르게 써 봅시다.

태어나기 훨씬 전
에 일어났던 일들
도 나는 많이 알
고 있습니다. 그러
니까 내가 별나라
에 가야 합니다.”

덮어쓰기를 하여 봅시다.

1 글 〈누구를 보낼까요?〉의 내용을 덮어쓰기하여 바르게 써 봅시다.

	이		초	대	장	을		보	고
많	은		동	물	이		몰	려	들
었	습	니	다	.	서	로		자	기
가		지	구	를		대	표	하	여
별	나	라	에		가	야		한	다
고		한	마	디	씩		하	였	습
니	다	.							
	먼	저	,	동	물		마	을	에
서		나	이	가		가	장		많
은		거	북		할	아	버	지	께
서		말	씀	하	셨	습	니	다	.
	“	내	가		별	나	라	에	
	가	야		합	니	다	.”		

읽기 94쪽

글씨를 바르게 써 봅시다.

1 다음 초대장을 바르게 써 봅시다.

	우	리		별	이		생	겨	난
날	을		기	념	하	는		자	리
에		지	구	의		친	구	를	
초	대	합	니	다	.	지	구	를	
대	표	할		수		있	는		동
물	을		보	내		주	세	요	.

지금까지 배운 내용을 정리해 봅시다.

1 다음 문장에서 맞춤법이 틀린 낱말을 바르게 고쳐 써 봅시다.

(1) 외냐하면, 배가 고팠기 때문이다.

→ ______________________________

(2) 나는 정말 네가 보고 시퍼!

→ ______________________________

(3) 내가 조아하는 음식은 카레이다.

→ ______________________________

2 다음 중 '소리내어 읽을 때와 쓸 때가 같은 말'에 ○표를 해 봅시다.

(1) 낮아서 (　　)　　(2) 오이 (　　)

(3) 잡으니 (　　)　　(4) 국어 (　　)

3 다음 낱말을 바르게 써 봅시다.

(1)

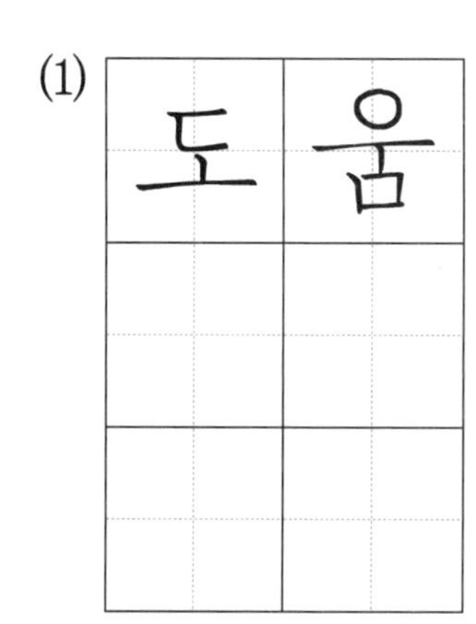

(2)

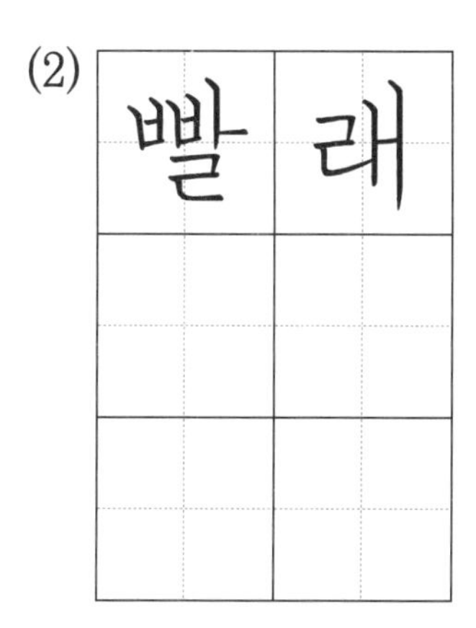

(3)

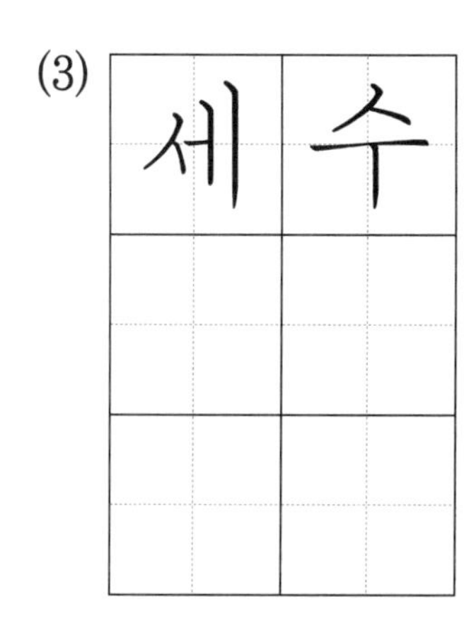

쉬는 시간

수수께끼를 풀어 봅시다. 1

다음 **보기**와 같이 수수께끼를 풀어 봅시다.

보기

문제) 말은 말인데 타지 못하는 말은?

양말

1번 문제) 약은 약인데 아껴 먹어야 하는 약은?

2번 문제) 내 것이지만 남이 더 많이 사용하는 것은?

7. 따뜻한 눈길로

낱자 사이의 간격을 알아봅시다.

쓰기 104쪽

※ 낱자 사이의 간격을 살펴봅시다.

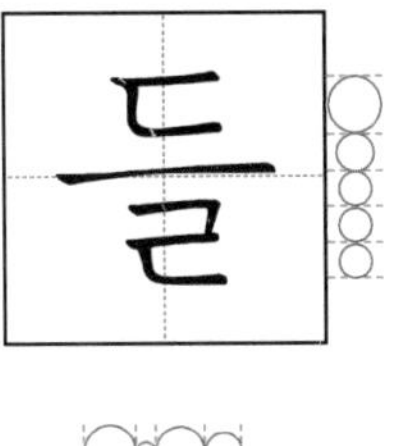

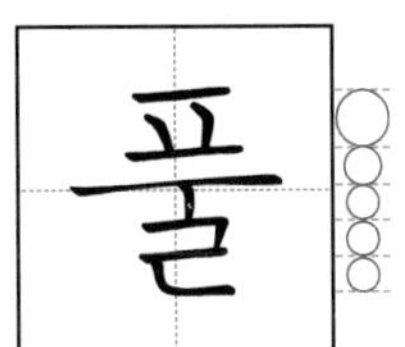

들 글 풀

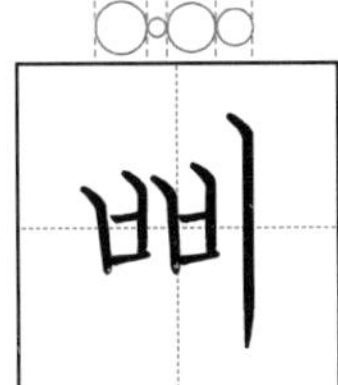

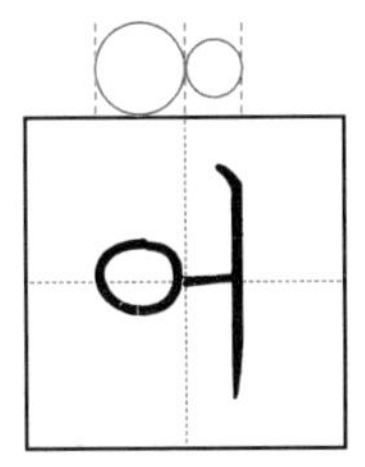

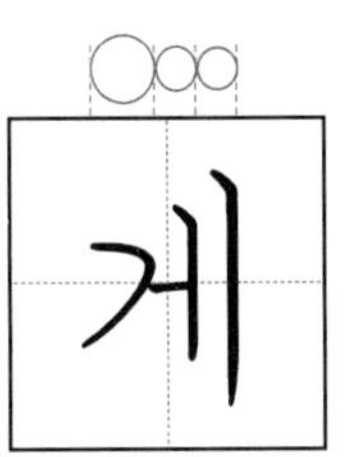

삐 어 게

※ 낱자 사이의 간격이 나와 있는 낱말을 살펴봅시다.

들판 글씨 풀밭

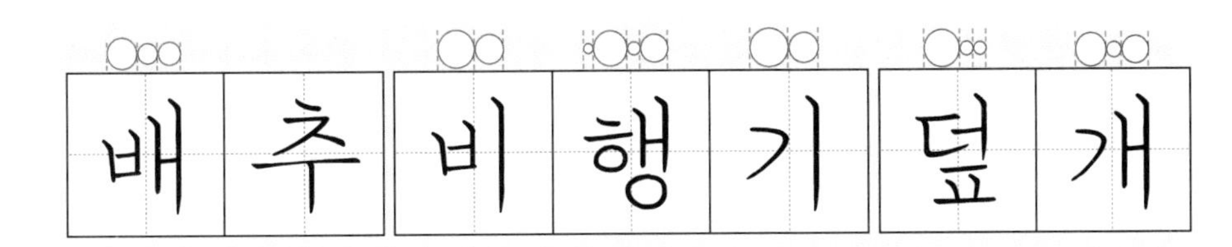

배추 비행기 덮개

낱자 사이에 간격을 알맞게 띄어써야 예쁜 글씨가 됩니다.

글자와 다르게 소리가 나는 말을 알아봅시다.

1 다음 **보기**에서 맞춤법이 틀린 글자를 바르게 고쳐 써 봅시다.

보기

호랑이가 (1) <u>갑짜기</u> 벌떡 일어나는 바람에 그만 등잔이 엎어졌습니다. 등잔의 뜨거운 (2) <u>기르미</u> (3) <u>쏘다졌습니다</u>. 깜짝 놀란 호랑이는 펄쩍펄쩍 뛰었습니다. 호랑이는 (4) <u>야다니</u> 났습니다.

(1) 갑짜기 ⇒

갑	자	기			
갑	자	기			

(2) 기르미 ⇒

기	름	이			
기	름	이			

(3) 쏘다졌습니다 ⇒

쏟	아	졌	습	니	다.

(4) 야다니 ⇒

야	단	이			
야	단	이			

쓰기 104쪽

낱자 사이의 간격을 생각하며 낱말을 바르게 써 봅시다.

1 낱자 사이의 간격에 유의하여 낱말을 써 봅시다.

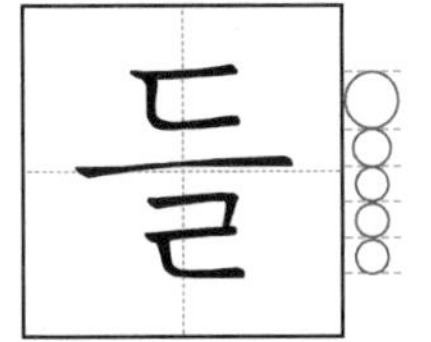

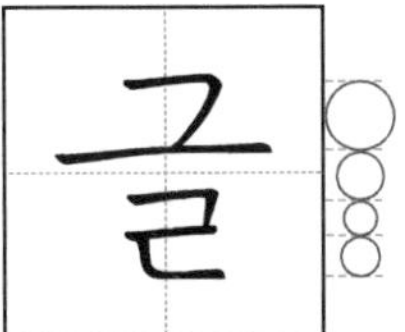

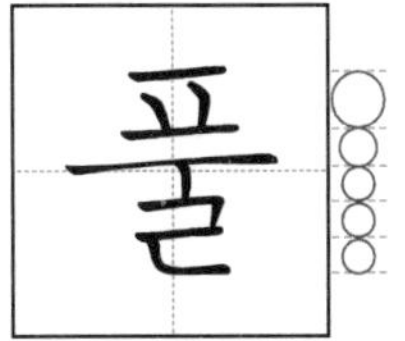

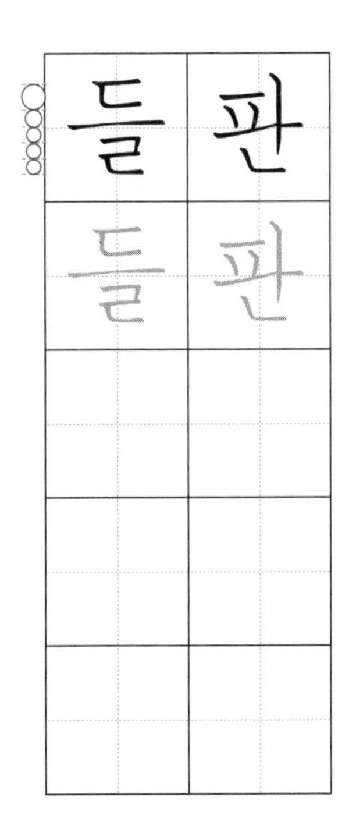

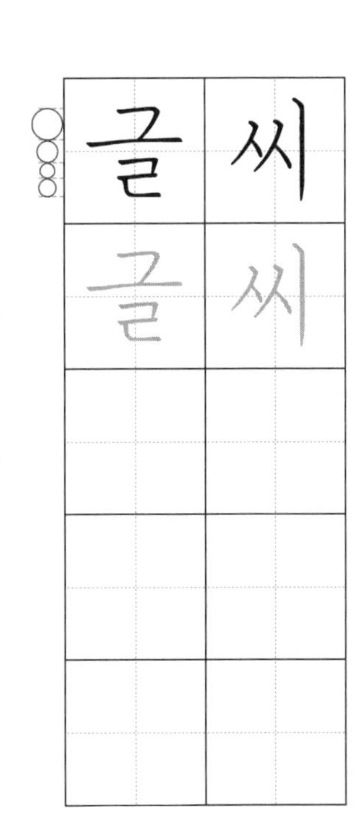

물건

국물

조약돌

풀밭

낱말을 바르게 써 봅시다.

1 다음 낱말의 글씨를 바르게 써 봅시다.

인	형
인	형

초	인	종
초	인	종

쪽	지
쪽	지

엽	집
엽	집

보	행	기
보	행	기

말
말

정	리
정	리

일	요	일
일	요	일

대	문
대	문

읽기 105쪽

덮어쓰기를 하여 봅시다.

1 글 〈수민이와 곰 인형〉의 내용을 덮어쓰기하여 바르게 써 봅시다.

	일	요	일		아	침	,	수	민
이	는		어	머	니	와		함	께
방	을		정	리	하	였	습	니	다.
정	리	하	다		보	니		쓰	지
않	는		물	건	이		많	이	
나	왔	습	니	다	.	어	머	니	께
서	는		이		물	건	들	을	
상	자	에		담	으	려	고		하
셨	습	니	다	.					
	“	어	릴		때		쓰	던	
	장	난	감	과		인	형	은	
	다	시		가	지	고		놀	래
	요	.”							

읽기 102쪽

글자의 모양을 생각하며 글씨를 바르게 써 봅시다.

1 글 〈꼬마〉의 내용을 바르게 써 봅시다.

나는 키가 아주
나는 키가 아주

작다. 그래서 친구들
작다. 그래서 친구들

은 나를 '꼬마'라
은 나를 '꼬마'라

고 부른다. 작은 키 V
고 부른다. 작은 키

글자의 모양을 생각하며 글씨를 바르게 써 봅시다.

1 글 〈꼬마〉의 내용을 바르게 써 봅시다.

때	문	에		1	학	년		동	생
때	문	에		1	학	년		동	생
들	도		형	이	라	고		부	르
들	도		형	이	라	고		부	르
지		않	는	다	.	그	럴		때
지		않	는	다	.	그	럴		때
가	장		기	분	이		나	쁘	다.
가	장		기	분	이		나	쁘	다.

V

읽기 110쪽

자음자의 위치에 유의하여 글씨를 바르게 써 봅시다.

1 글 〈소금 장수와 기름 장수〉의 내용을 자음자 'ㅁ'에 유의하여 글씨를 바르게 써 봅시다.

	소	금		장	수	가		고	개	
	소	금		장	수	가		고	개	
를		넘	어	가	다		굶	주	린	V
를		넘	어	가	다		굶	주	린	
호	랑	이	와		마	주	쳤	습	니	
호	랑	이	와		마	주	쳤	습	니	
다	.									
다	.									

자음자의 위치에 유의하여 글씨를 바르게 써 봅시다.

1 글 〈소금 장수와 기름 장수〉의 내용을 자음자 'ㅁ'에 유의하여 글씨를 바르게 써 봅시다.

	“	호	랑	이	님	,	제	발	
	“	호	랑	이	님	,	제	발	
	한		번	만		살	려		주
	한		번	만		살	려		주
	십	시	오	.”					
	십	시	오	.”					
	호	랑	이	는		들	은		체
	호	랑	이	는		들	은		체

자음자의 위치에 유의하여 글씨를 바르게 써 봅시다.

1 글 〈소금 장수와 기름 장수〉의 내용을 자음자 'ㅁ'에 유의하여 글씨를 바르게 써 봅시다.

도		하	지		않	고	,	소	금	V
도		하	지		않	고	,	소	금	
장	수	를		통	째	로		삼	켜	V
장	수	를		통	째	로		삼	켜	
버	렸	습	니	다	.	배	가		부	
버	렸	습	니	다	.	배	가		부	
르	지		않	았	습	니	다	.		
르	지		않	았	습	니	다	.		

글씨를 바르게 써 봅시다.

1 글 〈숙제 로봇의 일기〉의 내용을 바르게 써 봅시다.

	수	영	이	는		실	컷		놀
다	가		밤		아	홉		시	가
되	어	서	야		로	봇		앞	에
앉	았	습	니	다	.	수	영	이	는
로	봇	의		왼	쪽		뺨	을	
살	짝		건	드	리	며		말	하

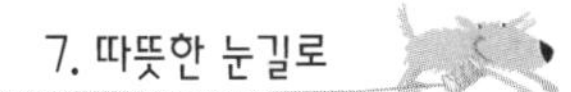

글씨를 바르게 써 봅시다.

1 글 〈숙제 로봇의 일기〉의 내용을 바르게 써 봅시다.

였습니다.

"선생님께서 내

주신 글쓰기 숙제

야."

로봇은 얼른 다

해내었습니다.

지금까지 공부한 내용을 정리해 봅시다.

1 다음 문장에서 맞춤법이 틀린 낱말을 바르게 고쳐 써 봅시다.

(1) 갑짜기 숙제가 생각났다.

→ ______________________________

(2) 튀김 요리를 하기 위해서는 기르미 필요합니다.

→ ______________________________

(3) 물 잔에 담겨 있던 물이 쏘다졌습니다.

→ ______________________________

2 다음 낱말을 바르게 써 봅시다.

(1)
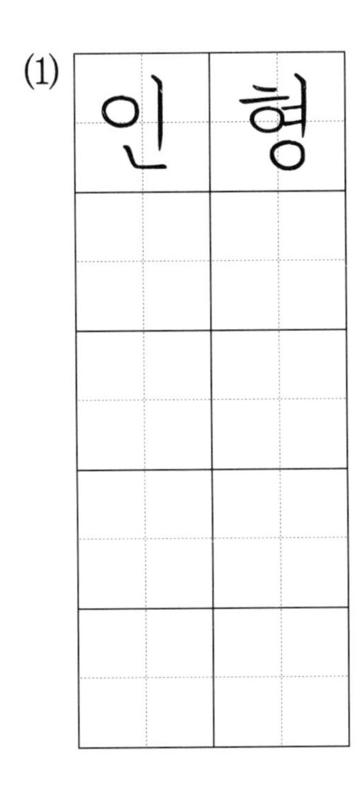

(2)
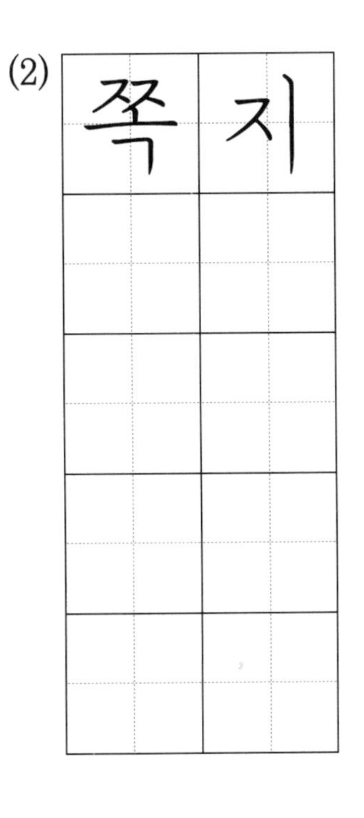

(3)
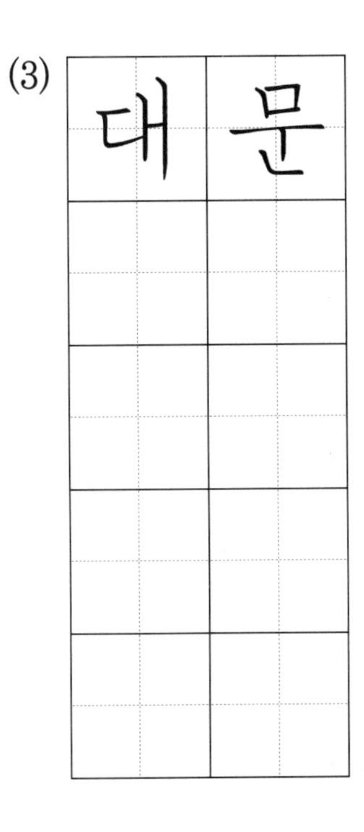

쉬는 시간

수수께끼를 풀어 봅시다. 2

다음 수수께끼를 풀어 봅시다.

1번 문제) 빨간 주머니 속에 노란색 옷을 입은 형제들이 정답게 모여 사는 것은?

2번 문제) 마셔도 마셔도 배부르지 않은 것은?

3번 문제) 별 중에서 가장 슬픈 별은?

8. 재미가 새록새록

이어주는 말을 알아봅시다.

※ 다음 그림을 살펴보고 '이어주는 말'을 바르게 사용하고 있는지 살펴봅시다.

위 그림에서 남학생은 '이어주는 말'을 잘못 사용하고 있습니다. '그러나'를 '그래서'로 바꾸어 사용해야 합니다.

이어주는 말은 '그리고, 그러나, 그래서, 그러므로' 등 다양합니다. 이를 의미에 맞게 사용해야 합니다.

알맞은 낱말을 알아봅시다.

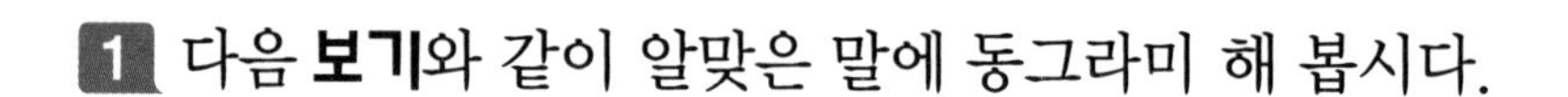

1 다음 **보기**와 같이 알맞은 말에 동그라미 해 봅시다.

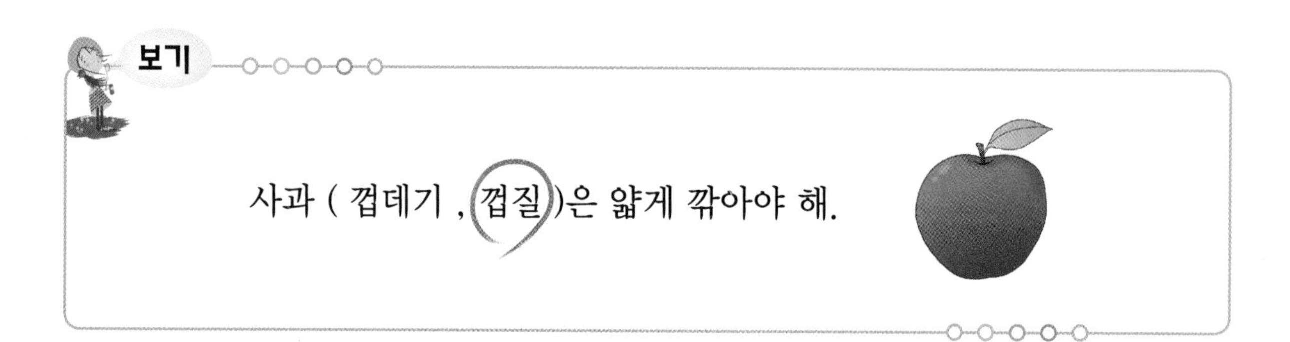

(1) 가수가 많은 팬들에게 둘러 (쌓였다 , 싸였다).

(2) 어디서 개가 (짓는 , 짖는) 소리가 들린다.

(3) 내 소원이 이루어지기를 (바랜다 , 바란다).

2 다음 문장을 띄어쓰기에 유의하여 바르게 옮겨 써 봅시다.

봄에는 예쁜 꽃이 핍니다.

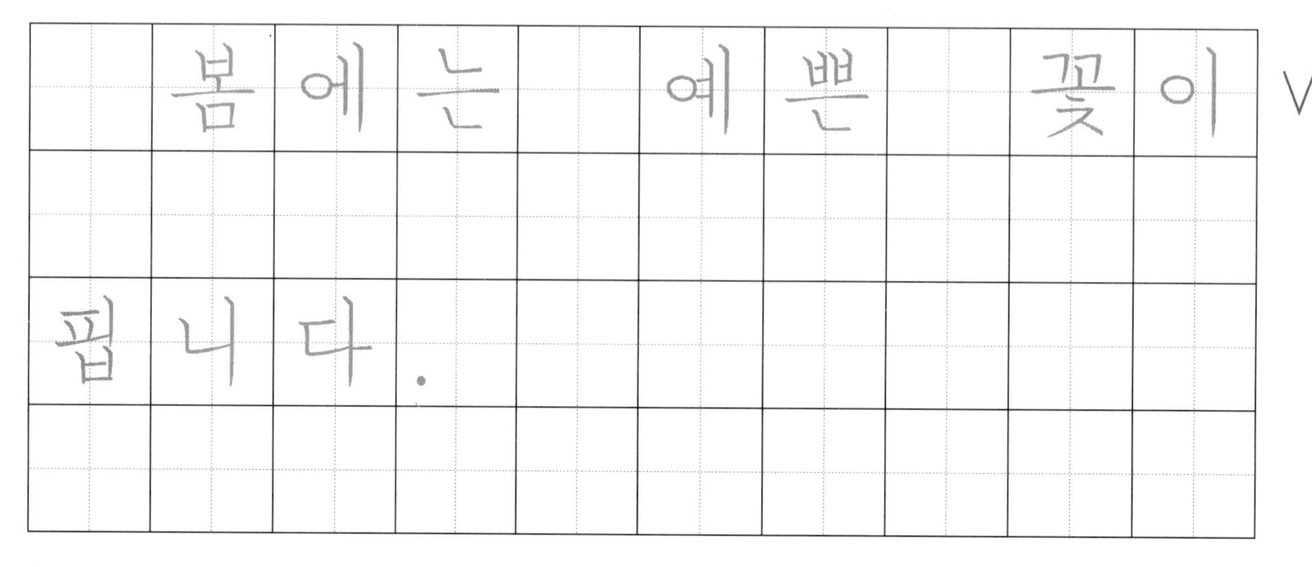

낱자 사이의 간격을 생각하며 낱말을 바르게 써 봅시다.

1 낱자 사이의 간격에 유의하여 낱말을 써 봅시다.

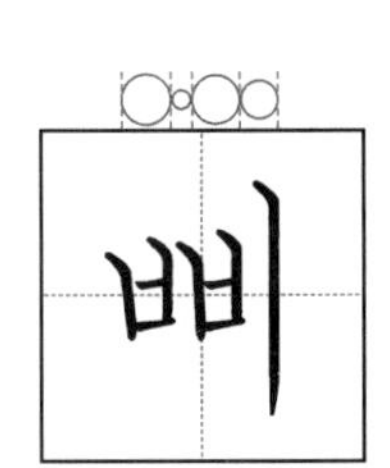

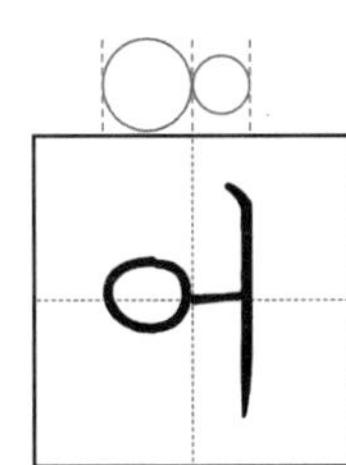

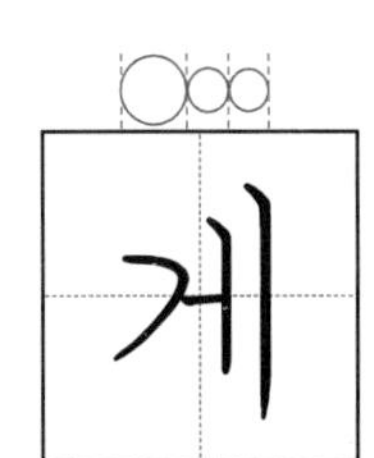

빼	끗
빼	끗

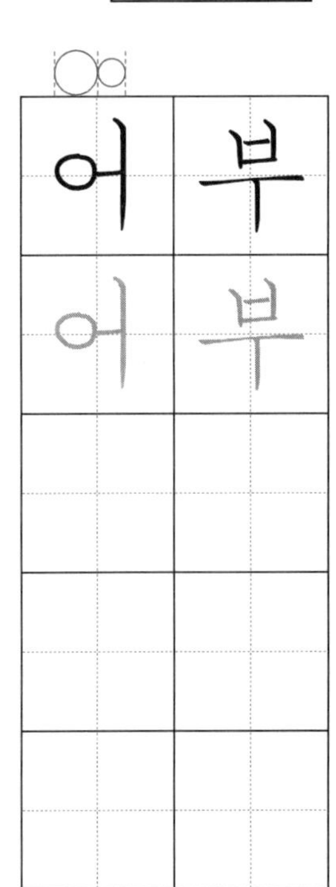

게	으	름
게	으	름

예	뻐
예	뻐

어	사	또
어	사	또

꽂	게
꽂	게

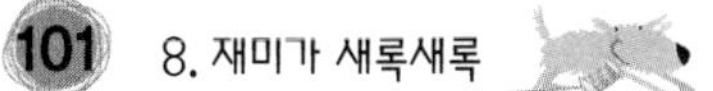

읽기 120쪽

글자의 모양을 생각하며 글씨를 바르게 써 봅시다.

1 글 〈불개 이야기〉의 내용을 바르게 써 봅시다.

	옛	날	,	아	주		먼		옛
	옛	날	,	아	주		먼		옛
날	,	하	늘	에		깜	깜	한	
날	,	하	늘	에		깜	깜	한	
까	막	나	라	가		있	었	습	니
까	막	나	라	가		있	었	습	니
다	.								
다	.								

자음자의 위치에 유의하여 글씨를 바르게 써 봅시다.

1 글 〈불개 이야기〉의 내용을 자음자 'ㅂ'에 유의하여 글씨를 바르게 써 봅시다.

	불	개	는		번	개	처	럼	
	불	개	는		번	개	처	럼	
북	쪽	으	로		달	렸	습	니	다.
북	쪽	으	로		달	렸	습	니	다.
	“	불	아	,	불	아	,	어	디
	“	불	아	,	불	아	,	어	디
	있	니	?		우	리	나	라	
	있	니	?		우	리	나	라	

읽기 122쪽

자음자의 위치에 유의하여 글씨를 바르게 써 봅시다.

1 글 〈불개 이야기〉의 내용을 자음자 'ㅂ'에 유의하여 글씨를 바르게 써 봅시다.

까막나라 환하게

까막나라 환하게

밝혀 다오."

밝혀 다오."

"네 노래가 내

"네 노래가 내

마음을 울리는구나."

마음을 울리는구나."

읽기 121쪽

덮어쓰기를 하여 봅시다.

1 글 〈불개 이야기〉의 내용을 덮어쓰기하여 바르게 써 봅시다.

	용	감	한		개	가		임	금
님		앞	에		나	섰	습	니	다.
	“	임	금	님	,	제	가		불
	을		구	해		오	겠	습	니
	다	.	저	를		보	내		주
	십	시	오	.”					
	“	오	,	그	게		정	말	이
	나	?		네	가		불	을	
	구	해		온	다	면		큰	
	상	을		내	리	리	라	.”	
	임	금	님	은		그		개	에
게	‘	불	개	’	라	는		이	름
을		지	어		주	었	습	니	다.

읽기 125쪽

글씨를 바르게 써 봅시다.

1 글 〈불개 이야기〉의 내용을 바르게 써 봅시다.

	온	몸	이		빳	빳	하	게	
얼	어	붙	었	습	니	다	.		
	불	개	는		해	도		달	도
구	하	지		못	하	고	,	그	만
까	막	나	라	로		돌	아	가	야
하	였	습	니	다	.				

읽기 125쪽

글씨를 바르게 써 봅시다.

1 글 〈불개 이야기〉의 내용을 바르게 써 봅시다.

까막나라에 돌아온 ∨
불개는 임금님 앞에 ∨
이르러 퍽 쓰러지고 ∨
말았습니다. 쓰러진
뒤, 불개는 갑자기
몸부림을 쳤습니다.

읽기 125쪽

글씨를 바르게 써 봅시다.

1 글 〈불개 이야기〉의 내용을 바르게 써 봅시다.

푸르고 붉은 불덩이를 토해 내었습니다.

불개가 토해 낸 불덩이로 궁궐이 갑자기 환해졌습니다.

지금까지 공부한 내용을 정리하여 봅시다.

1 밑줄 친 부분이 바르게 쓰인 것에 ○표를 해 봅시다.

(1) ㄱ- 사과 껍데기 (　　)

ㄴ- 사과 껍질 (　　)

(2) ㄱ- 책상에 책이 잔뜩 쌓였다. (　　)

ㄴ- 책상에 책이 잔뜩 싸였다. (　　)

(3) ㄱ- 우리 동네 강아지들이 짓는다. (　　)

ㄴ- 우리 동네 강아지들이 짖는다. (　　)

(4) ㄱ- 나는 가수가 되길 바랜다. (　　)

ㄴ- 나는 가수가 되길 바란다. (　　)

(5) ㄱ- 나는 주스를 좋아한다. 그리고 우유도 좋아한다. (　　)

ㄴ- 나는 주스를 좋아한다. 그러나 우유도 좋아한다. (　　)

2 다음 문장을 띄어쓰기에 유의하여 바르게 옮겨 써 봅시다.

(1) 내 동생은 공부를 열심히 합니다.

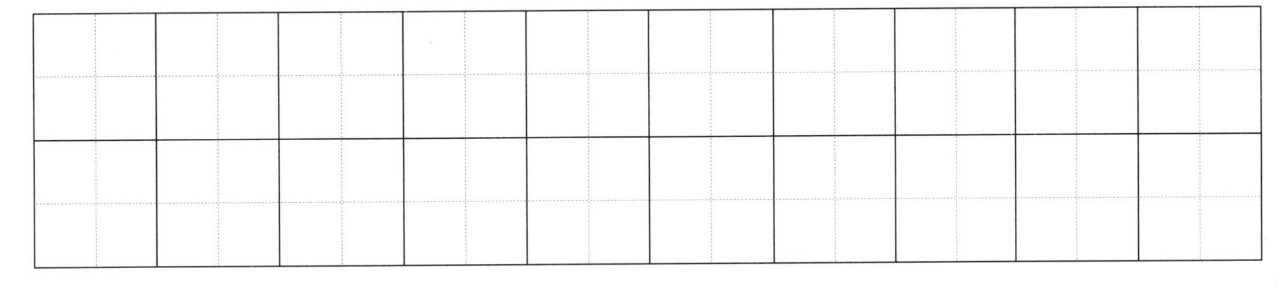

(2) 어머니께서 간식을 주셨습니다.

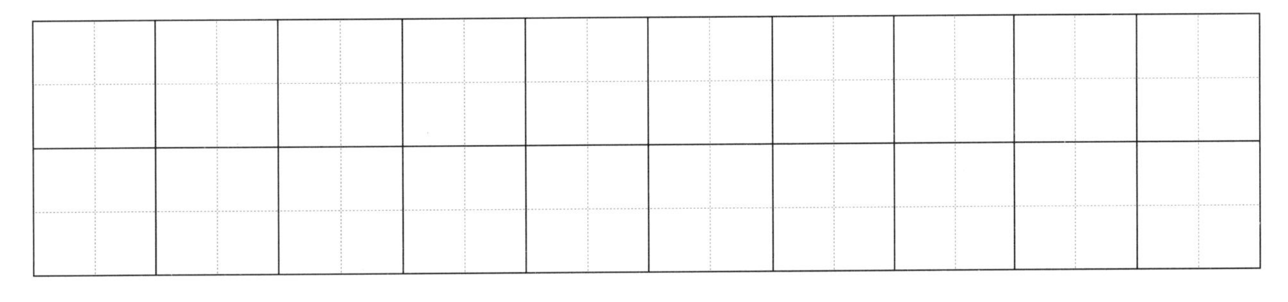

쉬는 시간

가운데 글자 이어가기를 해 봅시다.

놀이 방법

1. 세 글자로 이루어진 낱말로 채워야 합니다.
2. 가운데 글자는 다음 낱말의 첫 글자가 됩니다.

축 구 공

구 미 호

미 ○ ○

○ ○ ○

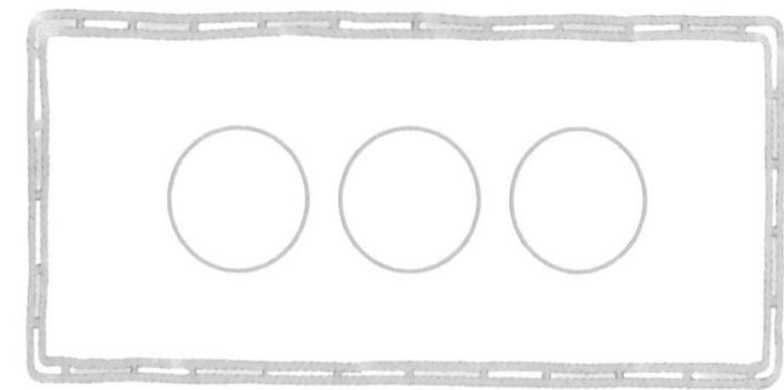

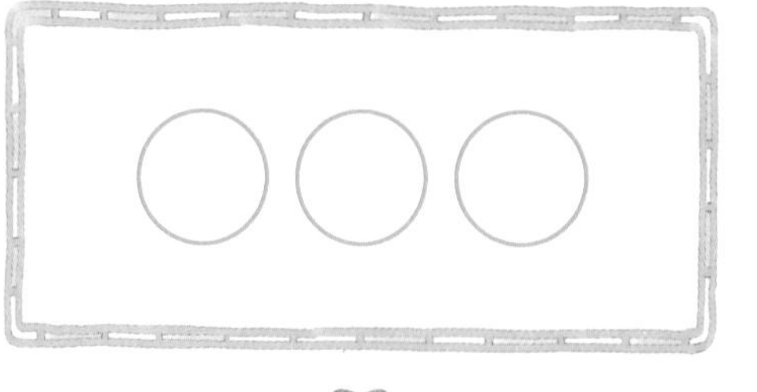

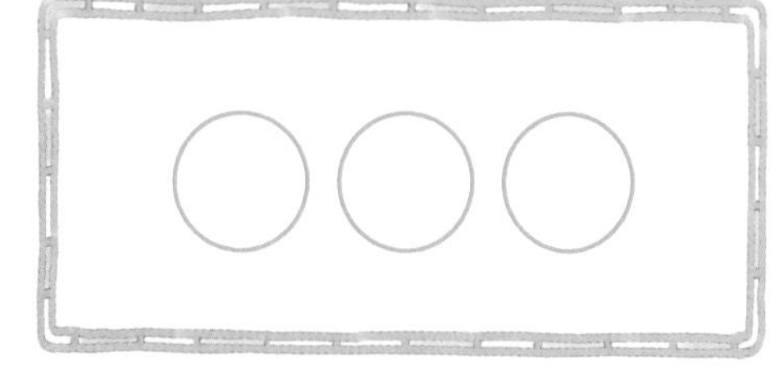

모범정답

1단원 느낌을 말해요

13쪽

1.

(1)

무	슨		김	치		먹	었	니	?

(2)

나		혼	자	서		먹	었	다	.

2. ④

3. ⑤

2단원 알고 싶어요

27쪽

1.

(1) 오늘 아침에 늦잠을 잤다.

(2) 우리는 운동장에서 달리고 있었다.

(3) 나의 이름은 조현정이야.

(4) 많은 학생들이 공부를 열심히 한다.

2. ②

(해설) '먼저'의 반대말은 '나중'이다.
'같은'의 반대말은 '다른'이다.
'작다'의 반대말은 '크다'이다.
'적다'의 반대말은 '많다'이다.

3단원 이런 생각이 들어요

41쪽

1. ①

2. 해님

3.

	“	야	,	요	놈	들		봐	라. ∨
	하	하	하	!	”				

4단원 마음을 담아서

55쪽

1. ⑤

2.

(1) 짧다, (2) 틀리다, (3) 나중,
(4) 얇다, (5) 약하다

5단원 무엇이 중요할까?

69쪽

1. ②

2.

(1) 옛날 사람들은 한복을 입었습니다.

(2) 집은 나무로 만듭니다.

(3) 우리 어머니가 직접 만들어주신 가방이야.

3. (1) 진흙 (2) 옹기

(3) 그릇

6단원 의견이 있어요

83쪽

1.

(1) 왜냐하면, 배가 고팠기 때문이다.

(2) 나는 정말 네가 보고 싶어!

(3) 내가 좋아하는 음식은 카레이다.

2. '(2) 오이'만 ○표를 합니다.

3. (1) 도움 (2) 빨래

(3) 세수

84쪽

- 1번 문제) 절약, 2번 문제) 이름

7단원 따뜻한 눈길로

97쪽

1.

(1) 갑자기 숙제가 생각났다.

(2) 튀김 요리를 하기 위해서는 기름이 필요합니다.

(3) 물 잔에 담겨있던 물이 쏟아졌습니다.

2. (1) 인형 (2) 쪽지

(3) 대문

98쪽

- 1번 문제)고추, 2번 문제) 공기, 3번 문제)이별

8단원 재미가 새록새록

100쪽

1. (1) 싸였다 (2) 짖는 (3) 바란다

109쪽

1. (1)ㄴ, (2) ㄱ, (3) ㄴ, (4) ㄴ, (5) ㄱ

2.

(1)

	내		동	생	은		공	부	를
열	심	히		합	니	다	.		

∨

(2)

	어	머	니	께	서		간	식	을
주	셨	습	니	다	.				

∨

단계별 단원 받아쓰기

2·1 받아쓰기 급수 확인서

급수	점수	확인	급수	점수	확인
1급	점		13급	점	
2급	점		14급	점	
3급	점		15급	점	
4급	점		16급	점	
5급	점		17급	점	
6급	점		18급	점	
7급	점		19급	점	
8급	점		20급	점	
9급	점		21급	점	
10급	점		22급	점	
11급	점		23급	점	
12급	점				

1. 문장 부호와 띄어쓰기도 함께 정확히 공부합니다.
2. 예쁘고 바른 글씨로 받아쓰기합니다.
3. ∨표시는 띄어쓰기를 나타내는 표시입니다. 그러므로 받아쓰기할 때에는 쓰지 않습니다.

받아쓰기 카드 활용 방법

1. '받아쓰기 급수 확인서'는 받아쓰기 공책 맨 뒷장에 붙입니다.
2. '받아쓰기 카드'는 선에 맞춰 예쁘게 자르고, 왼쪽 위에 구멍을 뚫어 둥근 클립을 끼워 사용합니다. (받아쓰기 카드를 코팅하면 구겨지지 않아요.)
3. 집에서 받아쓰기 연습을 하고 틀린 단어나 문장은 공책에 여러 번 읽고 쓰면서 익히도록 합니다.

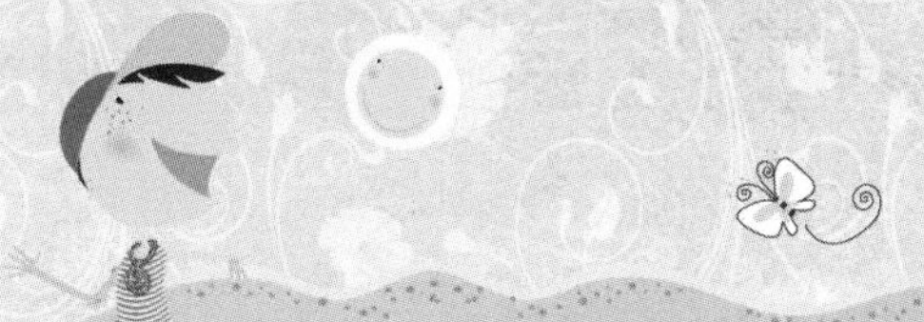

받아쓰기 카드

_______________ 초등학교

2학년 _______ 반 _______ 번

이름 : _______________

2급 1. 느낌을 말해요

① 물도∨겨우∨무릎에∨닿았대.
② 제주도는∨그냥∨편평한∨섬
③ 앉아서∨쉴∨만한∨산
④ 한가운데∨차곡차곡∨쌓았어.
⑤ 뾰족하여∨앉기가∨불편하였어.
⑥ 다리∨놓기야∨쉬운∨일이지.
⑦ 할망의∨옷이∨여간∨커야지.
⑧ 옷을∨다∨짓지∨못하고∨말았어.
⑨ 철벅철벅∨바닷물을∨가르며
⑩ 흙을∨가득∨퍼∨담아

4급 2. 알고 싶어요

① 독특한∨냄새를∨풍깁니다.
② 길을∨잃지∨않도록
③ 냄새를∨묻히며∨기어갑니다.
④ 다른∨길로∨가지∨않는∨까닭
⑤ 개미들은∨협동을∨잘합니다.
⑥ 먹이를∨집으로∨나를∨때에
⑦ 사이좋게∨나누어∨먹습니다.
⑧ 진딧물과∨서로∨돕고∨삽니다.
⑨ 온몸에∨엷은∨갈색∨점이
⑩ 한겨울에도∨꽁꽁∨언∨얼음

6급 3. 이런 생각이 들어요

① 짝꿍∨바꾸는∨날
② 알은체도∨하지∨않았습니다.
③ 살짝∨쳐다보았습니다.
④ 가슴이∨콩닥콩닥∨뛰었습니다.
⑤ 마음이∨조마조마∨하였습니다.
⑥ 누구와∨짝이∨될까?
⑦ 더∨심한∨장난꾸러기였습니다.
⑧ 어부는∨좋은∨자리를∨잡고
⑨ 그물을∨던져∨놓았습니다.
⑩ 바들바들∨몸을∨떨었습니다.

3급 2. 알고 싶어요

1. 부리를∨깃털∨사이에∨파묻고
2. 누웠다∨일어나려면
3. 꾸벅꾸벅∨조는∨듯이∨잡니다.
4. 동물들은∨어떻게∨잘까요?
5. 한쪽∨다리는∨접어서
6. 천연기념물로∨정하여∨보호
7. 표범과∨같은∨적이∨다가오면
8. 오랜∨옛날부터∨사람들은
9. 그렇게∨불렀다고∨합니다.
10. 높고∨낮은∨세∨개의∨봉우리

1급 1. 느낌을 말해요

1. 발을∨다쳐∨아파서∨운다.
2. 바쁜∨길∨잊어버리고
3. 다친∨발∨고쳐∨주었네.
4. 길을∨잃고∨갈∨곳∨몰라∨운다.
5. 방아깨비∨한∨마리
6. 꿩꿩∨장∨서방
7. 잔솔밭이∨내∨집일세.
8. 김칫국∨끓여∨밥∨말아∨먹고
9. 까마득한∨옛날∨일이야.
10. 바닷물을∨철렁철렁∨일으키며

7급 3. 이런 생각이 들어요

1. 아이고,∨큰일∨났네.
2. 꼼짝없이∨죽을∨텐데.
3. 어부를∨향하여∨외쳤습니다.
4. 놓아주면∨나중에∨어떻게∨잡지?
5. 이∨넓은∨바다에
6. 어린이∨축구장이∨생겼으면
7. 아저씨께서∨시끄럽다고∨하셨다.
8. 축구를∨할∨수밖에∨없다.
9. 힘없는∨목소리로
10. 마음∨놓고∨축구를∨하고∨싶다.

5급 2. 알고 싶어요

1. 구덩이를∨파고∨알을∨낳습니다.
2. 알이∨떠내려가지∨않도록
3. 탑처럼∨쌓아∨올립니다.
4. 비가∨많이∨오는∨해에,
5. 그해의∨날씨를∨알∨수∨있다.
6. 오염된∨강이∨많아져서
7. 어름치가∨점점∨줄어들고
8. 헤엄쳐∨다닌다고∨하여
9. 깨끗한∨물에서만∨삽니다.
10. 강∨바닥에∨모읍니다.

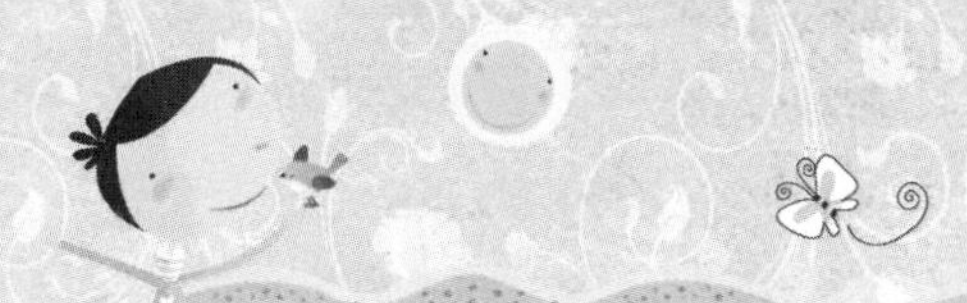

8급 3. 이런 생각이 들어요

1. 호수는∨내가∨먼저∨차지했어.
2. 아침부터∨소란스럽게
3. 긴∨코를∨휘두를∨테야.
4. 손뼉을∨치며∨좋아하였습니다.
5. 이∨뿔로∨받으면∨무서워서
6. 코끼리를∨비웃었습니다.
7. 호수를∨함께∨사용하면∨되잖아.
8. 눈을∨동그랗게∨뜨고
9. 코뿔소의∨호수로∨하면∨되지.
10. 고개를∨끄덕였습니다.

10급 4. 마음을 담아서

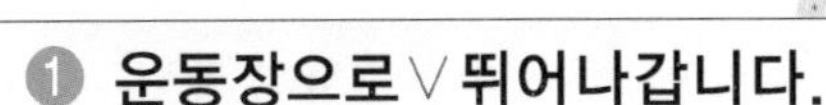

1. 운동장으로∨뛰어나갑니다.
2. 괜찮아요.
3. 호랑이를∨잡은∨반쪽이
4. 고을에∨삼∨형제가∨살았대.
5. 하나밖에∨없는∨반쪽이야.
6. 소와∨돼지를∨잡아가고
7. 호랑이를∨잡겠다고∨나섰어.
8. 둘째∨형은∨혼자∨가∨버렸대.
9. 반쪽아,∨부디∨조심하여라.
10. 대궐∨같은∨집에서∨하룻밤

12급 5. 무엇이 중요할까?

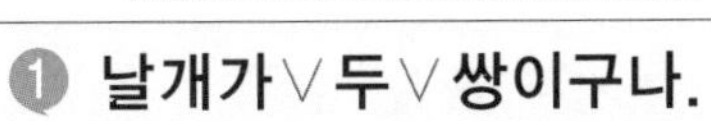

1. 날개가∨두∨쌍이구나.
2. 이∨꽃의∨이름은∨뭘까?
3. 책을∨찾아보아야겠네.
4. 진흙으로∨만든∨그릇
5. 옹기전에∨가자고∨하셨다.
6. 옹기그릇을∨파는∨곳이야.
7. 앞마당에∨줄지어∨서∨있는
8. 배불뚝이∨모양이∨다른∨항아리
9. 여러∨종류의∨그릇이∨많았다.
10. 옛날부터∨조상들이∨쓰던∨그릇

14급 5. 무엇이 중요할까?

1. 자료실을∨새롭게∨단장하다.
2. 이름으로도∨찾을∨수∨있습니다.
3. 회원증과∨책을∨확인하고
4. 주의할∨점이∨있습니다.
5. 뛰어다니거나∨큰∨소리로
6. 피해를∨주지∨않아야∨합니다.
7. 음료수나∨음식물을∨가지고
8. 책을∨빌려∨갈∨수∨있습니다.
9. 큰∨소리로∨떠드는∨행동
10. 들어가서는∨안∨됩니다.

11급

4. 마음을 담아서

1. 아무∨데서나∨자다가
2. 마루∨밑에∨들어가∨잠을∨잤어.
3. 반쪽이는∨깜짝∨놀랐지.
4. 영감이∨호랑이였단∨말인가?
5. 잽싸게∨호랑이의∨머리에
6. 네가∨큰일을∨하였구나.
7. 함께∨보고∨싶은∨마음
8. 두∨형보다∨힘이∨더∨세고
9. 잘생기고∨힘도∨좋아서
10. 사랑을∨많이∨받았지.

9급

4. 마음을 담아서

1. 어디서∨배웠을까
2. 꼬리를∨흔들어∨대며
3. 진짜∨우습다.
4. 선생님∨얼굴을∨비추어∨보던
5. 아이가∨까르르∨웃습니다.
6. 코에도∨가져다∨대∨봅니다.
7. 벌레를∨살펴보는∨데∨써야지
8. 아이들은∨또∨깔깔거립니다.
9. 돋보기로∨보면∨뱀이∨될∨텐데,
10. 아이들은∨좋다고∨환호성을

15급

6. 의견이 있어요

1. 물∨없이∨살∨수∨없어요.
2. 많은∨도움을∨줍니다.
3. 생활을∨편리하게∨해∨줍니다.
4. 세수,∨설거지,∨빨래∨등을
5. 건강에∨도움을∨줍니다.
6. 우리∨몸속의∨찌꺼기
7. 물을∨아껴∨써야∨합니다.
8. 세수를∨하거나∨양치질을
9. 해와∨달이∨본∨세상
10. 사람들이∨사는∨마을의∨이야기

13급

5. 무엇이 중요할까?

1. 쉽게∨상하지∨않지.
2. 맛도∨더∨좋아진단다.
3. 옹기그릇은∨흙으로∨빚어서
4. 간장,∨된장,∨고추장∨등을
5. 편안한∨느낌이∨들었다.
6. 함께하는∨전통∨공예∨교실
7. 아름다운∨부채를∨만듭니다.
8. 도자기∨찻잔을∨만듭니다.
9. 훌륭한∨솜씨도∨배우게∨됩니다.
10. 마음껏∨책을∨읽도록

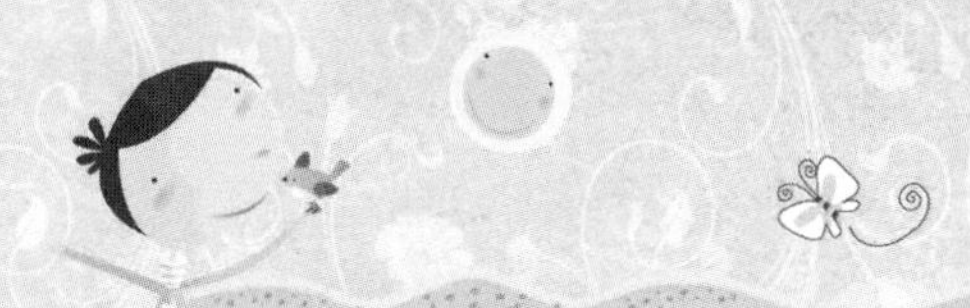

16급 6. 의견이 있어요

① 사는∨곳은∨참∨아름다워.
② 나뭇잎은∨은빛으로∨빛나.
③ 사람들은∨늘∨잠들어∨있어.
④ 항상∨바쁘게∨움직여.
⑤ 말을∨이해할∨수∨없었습니다.
⑥ 할아버지께∨여쭈어∨보았습니다.
⑦ 자기의∨말이∨옳다고∨하는∨거야.
⑧ 알지∨못하는∨세상도∨있단다.
⑨ 그게∨무슨∨말씀이세요?
⑩ 해가∨여쭈어∨보았습니다.

18급 7. 따뜻한 눈길로

① 나는∨키가∨아주∨작다.
② 형이라고∨부르지∨않는다.
③ 집으로∨돌아오는∨길이었다.
④ 내∨뒤를∨따라왔다.
⑤ 주먹을∨불끈∨쥐고
⑥ 노려보면∨어쩔∨건데?
⑦ 한∨대∨때려∨주고∨싶었다.
⑧ 꾹∨참고∨집으로∨돌아왔다.
⑨ 아버지께서∨빙그레∨웃으셨다.
⑩ 마음이∨조금∨풀렸다.

20급 7. 따뜻한 눈길로

① 왼쪽∨뺨을∨살짝∨건드리면
② 매우∨기뻤습니다.
③ 굶주린∨호랑이와∨마주쳤습니다.
④ 호랑이는∨들은∨체도∨하지∨않고,
⑤ 연필을∨쥐는가∨싶더니
⑥ 한입에∨삼켜∨버렸습니다.
⑦ 어떻게∨빠져나가지요?
⑧ 먼저∨불을∨켜고∨봅시다.
⑨ 뜨거운∨기름이∨쏟아졌습니다.
⑩ 펄쩍펄쩍∨뛰었습니다.

22급 8. 재미가 새록새록

① 해를∨뱉어∨내고
② 달을∨찾아∨나섰습니다.
③ 백호가∨으르렁거렸습니다.
④ 세찬∨입바람을∨불어∨댔습니다.
⑤ 잇몸이∨얼어붙고∨이빨이∨시려
⑥ 온몸이∨빳빳하게∨얼어붙었습니다.
⑦ 푸르고∨붉은∨불덩이를
⑧ 기운이∨온몸에∨퍼졌습니다.
⑨ 궁궐이∨갑자기∨환해졌습니다.
⑩ 담아∨와서∨뿜어냈습니다.

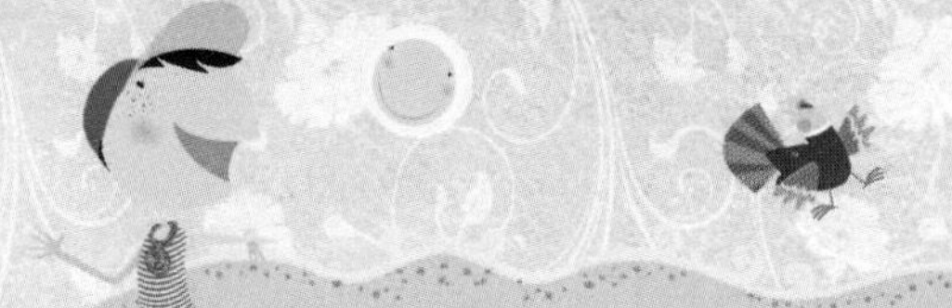

19급 7. 따뜻한 눈길로

❶ 쌓여∨있는∨물건들을
❷ 물건들을∨상자에∨담으려고
❸ 필요한∨분께∨드립니다.
❹ "언니,∨고마워!"
❺ 대문에∨쪽지를∨붙여∨놓자.
❻ 밤늦은∨시간에∨초인종이
❼ 급히∨방으로∨뛰어들어가
❽ 보행기와∨인형을∨가져가다.
❾ 쭈뼛쭈뼛∨몇∨번을∨망설이더니
❿ 함빡∨웃으며∨꼭∨껴안았습니다.

17급 6. 의견이 있어요

❶ 해와∨달은∨서로∨마주∨보며
❷ 작은∨것도∨소중해.
❸ 집으로∨돌아오던∨길
❹ 달려가∨동전을∨주웠습니다.
❺ 십∨원짜리∨동전이었습니다.
❻ 소중하게∨여기지∨않을까?
❼ 형이∨잃어버린∨것은
❽ 고개를∨끄덕였습니다.
❾ 일어나∨말하였습니다.
❿ 동물들은∨생각에∨잠겼습니다.

23급 8. 재미가 새록새록

❶ 가득히∨담아∨와서
❷ 불개를∨낭떠러지∨아래로
❸ 뭉게뭉게∨피어올랐습니다.
❹ 해가∨떠오르고∨있었습니다.
❺ 눈에서∨눈물이∨흘러내렸습니다.
❻ 구름에∨태워∨힘차게
❼ 햇빛과∨달빛을∨가져왔었구나!
❽ 큰일이∨날까∨두렵습니다.
❾ 약속은∨까맣게∨잊고∨말았습니다.
❿ 불덩이를∨토해∨내었습니다.

21급 8. 재미가 새록새록

❶ 아주∨먼∨옛날,
❷ 불을∨가져오겠다고∨나서는
❸ 임금님∨앞에∨나섰습니다.
❹ 번개처럼∨북쪽으로
❺ 환하게∨밝혀∨다오.
❻ 환한∨빛은∨해와∨달에서
❼ 뜨거운∨불을∨내뿜었습니다.
❽ 쏜살같이∨뛰어올라
❾ 해를∨꽉∨물었습니다.
❿ "앗,∨뜨거워!"